JN142507

ビッグ・クエスチョン

〈人類の難問〉に答えよう

BRIEF ANSWERS TO THE BIG QUESTIONS

スティーヴン・
ホーキング

STEPHEN HAWKING

青木薫＝訳

NHK出版

ビッグ・クエスチョン

〈人類の難問〉に答えよう

BRIEF ANSWERS TO THE BIG QUESTIONS
by Stephen Hawking

Copyright © 2018 by Space Time Publications Ltd
Foreword © Eddie Redmayne 2018
Appreciation © Kip S. Thorne 2018
Afterword © Lucy Hawking 2018

Japanese translation rights arranged with Space Time Publications Ltd
c/o United Agents through Japan UNI Agency, Inc., Tokyo

Photograph of the adult Stephen Hawking © Andre Pattenden

装幀　トサカデザイン

ビッグ・クエスチョン〈人類の難問〉に答えよう

目次

刊行にあたって

スティーヴン・ホーキングは折りあるごとに、その時どきの「ビッグ・クエスチョン」について、科学者、テック起業家、財界人、政治指導者、そして一般の人びとから意見を求められていました。そうした求めに対してスティーヴンは、講演、インタビュー、エッセイという形で答え、それらを膨大なパーソナル・アーカイブとして保存していたのです。

本書はそのアーカイブを利用したもので、彼が亡くなったときには未完成でした。その後、彼の研究上の仲間たちや、ご家族のみなさん、そしてスティーヴン・ホーキング財団との共同作業により、こうして完成にこぎつけました。

本書のロイヤリティの一パーセントは慈善団体に寄付されます。

はじめに

俳優
エディ・レッドメイン

はじめてスティーヴン・ホーキングに会ったとき、彼の並外れたパワーとその無力さに、僕は胸を突かれた。動かない身体と、強い意志をたたえた眼差しの人だということは、それまでの調査から知っていた。それというのも、映画「博士と彼女のセオリー」(*The Theory of Everything*)でスティーヴンを演じることになっていた僕は、彼の仕事のことや運動ニューロン疾患の進み方を自分の身体でどう表現したらいいかをつかむために、それまで数か月をかけて、彼の障がいの性質を調べていたからだ。

それなのに、ずばぬけて表情豊かなふたつの眉と、コンピュータで音声化された言葉を主たるコミュニケーションの手段とする、驚くべき才能を持つ科学者、憧れのスティーヴン当人についに対面を果たしたとき、僕は打ちのめされた。僕が沈黙に耐えられず、ついしゃべりすぎてしまう性分なのに対し、スティーヴンは沈黙の威力、僕が品定めされているような、あの感覚の威力を知り抜いていた。取り乱した僕は、彼と僕の誕生日が数日しか違わず、そのためふたりは同じ星座だという話題を選んでしまった。数分後、スティーヴンはこう答えた。「私は天文学者だよ。占星術師じゃない」。それから彼は、自分のことを教授と呼ぶのはやめて、スティーヴンと呼んでほしいと言った。彼がそう言うであろうことは聞いていたのに……。

スティーヴンを演じることは役者としてとてつもないチャンスだったが、大きな挑戦でもあった。僕がその役に心を引かれたのは、スティーヴンが科学において成し遂げた外的な勝利と、二十代のはじめに始まった運動ニューロン疾患との内的な闘いという二面性のためだった。彼の物語は、人類が築き上げたもの、家庭生活、学問上の偉大な業績、そしてあらゆる困難に直面しながらも断固闘おうとする不屈の精神という、ユニークかつ複雑にして豊かな物語だった。僕たちはスティーヴンのひらめきを描きたいと思う一方で、彼と彼を世話する人たちの双方が示した、スティーヴンの暮らしにともなう気骨と勇気も描きたかった。

しかし、それと同じくらい重要だったのが、効果的な演出に長《た》けたショーマンとしてのスティーヴンの一面を描くことだった。僕は自分のトレイラーハウスのなかで考え抜いた末に、三つのイメージを軸にすることにした。ひとつは舌を突き出したアインシュタイン。ホーキングにもそれと同じ茶目っ気《け》があった。ふたつめは、トランプのジョーカー、しかも操り人形師が描かれているもの。スティーヴンはいつも、ほかの人たちを自分の手の内で操っているような気がするからだ。そして三つめは、ジェームズ・ディーンだった。そのきらめきとユーモアこそ、僕が彼に直接会って得た印象だったから。

存命中の人物を演じることの最大のプレッシャーは、自分が演じた当の本人に、演技について釈明をしなければならなくなることだ。スティーヴンの場合には、ご家族に対してもそれが必要になる。この映画の準備にかかっているあいだじゅう、ご家族のみなさんは僕に対して広い心で接してくださった。スティーヴンは映画を見る前に、こう言った。「思ったとおりのことを伝えるよ。気に入ったときも、そうではなかったときもね」。僕は、もしも「そうじゃなかった」場合には、そうとだけ言って、厳しいご意見の詳細は勘弁してもらえますかと言った。彼は寛大にも、映画は面白かったと言ってくれた。ただ、彼はいみじくもこうも言ったのだ。感動はしたけれど、心理描写はもっと減らして、物理の話を増やしたほうがよかったね、と。これればかりは反論のしようがない。

「博士と彼女のセオリー」以来、僕はホーキング家のみなさんと連絡をとり合ってきた。スティーヴンの葬儀で弔辞を述べてほしいと言われて、僕は胸がいっぱいになった。それはとても悲しく、しかしすばらしい日だった。もっとも勇気のある人物への愛と喜びにあふれる、思い出に満ちた一日だった。科学研究において世界をリードするとともに、身体障がいのある人びとが受け入れられ、適切な機会が与えられるようにするための方策を探究するという点でも、世界をリードした人物だった。
僕たちは真にすばらしい頭脳を持つ人物を失った。驚くべき科学者であり、僕がかつて会うことに喜びを感じた人たちのなかで、もっとも愉快な人物がいなくなってしまった。しかし、ご家族がスティーヴンの死に際しておっしゃったように、彼の仕事と遺産は生きつづけるだろう。だから僕は、悲しみとともに大いなる喜びをもって、スティーヴンが多彩で魅力的なテーマについて書いたものを集めたこの本をご紹介したい。みなさんが本書を楽しんでくれるよう、そしてバラク・オバマの言葉を引用するなら、スティーヴンが星たちにかこまれて楽しんでいてくれることを願う。*

愛をこめて
エディ

*訳注——バラク・オバマは二〇〇九年に、アメリカで文民に与えられる最高の勲章である大統領自由勲章をホーキングに授与し、ホーキング死去の際には、ホワイトハウスでホーキングと対話する写真をツイッターにあげて、"Have fun out there among the stars"（「星たちのあいだで楽しんでください」）と述べた。

WHY WE MUST ASK THE BIG QUESTIONS

なぜビッグ・クエスチョンを問うべきなのか?

人はいつの時代も、ビッグ・クエスチョンに対する答えを求めてきた。私たちはどこから来たのだろうか？　宇宙はどのように始まったのだろうか？　宇宙には、どんな意味と設計《デザイン》が隠れているのだろうか？　宇宙には私たちのほかにも誰かいるのだろうか？　過去に作られた天地創造の物語は、いまではあまり意味がなさそうに見えるし、信用できそうにもない。それに取って代わったのが、ニューエイジから「スター・トレック」まで、迷信としか言いようのないたぐいの話だ。しかし本物の科学は、ＳＦよりもはるかに奇妙で、もっとずっと納得がいく答えを与えることができる。

私は科学者である。それも、物理学、宇宙論、そして宇宙と人類の未来に深く魅了された科学者だ。両親は私を、いったん興味を持ったことにはとことん食らいつき、父親と同じように、科学が私たちに投げかける多くの問いを調べ、答えを出そうとする人間になるように育ててくれた。私はこれまでの人生を、宇宙の果てまで――頭のなかで――旅をすることに費やしてきた。理論物理学を使うことで、ビッグ・クエスチョンのいくつかに答えようとしてきた。ある時期には、私たちが物理学ととらえているものの終焉《しゅうえん》を見ることになるだろうと思っていたが、いまでは、私がこの世を去ってからも、思いもよらない発見は続いていくだろうと考えている。私たちはいくつかの答えに近づきつつあるけれど、まだそこにたどり着いてはいない。

困ったことに、たいていの人は、本物の科学は難解でややこしく、自分にはとうてい理解できないと思っている。しかし、それは違うと思うのだ。宇宙を支配する基本法則を研究するには、ほとんどの人には捻出《ねんしゅつ》できないほど多くの時間をつぎ込まなければならない。もしもすべての人が理論物理学の研究をしようとすれば、世の中はすぐに立ちゆかなくなるだろう。しかし、数式を使わずにわかりやすく説明されれば、たいていの人は基本的な考え方を理解し、意味を受け止めることができる。私はそれが可能だと信じているし、その努力を楽しみながら、これまでの人生を送ってきた。

生きて理論物理学の研究をするにはすばらしい時代だった。過去五十年間に私たちの宇宙像は大きく変化したが、もしも私が何か貢献したのであればうれしく思う。宇宙時代になって私たちが目を開かされたことのひとつは、宇宙スケールで見た人間の位置づけだ。宇宙から地球を見るとき、私たちはひとつの全体に見える。私たちはひとつに結ばれていて、個々ばらばらに存在しているのではないことを目の当たりにするのだ。それはとてもシンプルなイメージだけれど、説得力のあるメッセージをともなっている――この惑星も人類も、かけがえはないというメッセージを。

私は、グローバルなコミュニティが直面する重要課題に対して、いますぐ行動を起こすように求める人たちの声に、自分の声を重ねたい。私がいなくなってからも、その行動が前進することを、そして権力を持つ人たちが、創造性と勇気とリーダーシップを示してくれることを願っている。持続可能な発展のためのさまざまな目標の達成という、困難ではあるけれど大きな意義のある挑戦のために、権力者を立ち上がらせ、自分だけの利益のためではなく、みなの利益のために行動させよう。私は、時間の大切さを身にしみて知っている。いまという時を逃してはならない。行動するのはいまだ。

ビッグ・クエスチョンに駆り立てられて

私の人生については前にも書いたことがあるが、これまでずっとビッグ・クエスチョンに強く心を引かれてきたことを思えば、若い頃の経験のうちのいくつかは、ここでもう一度繰り返しておく価値があるだろう。

私は、ガリレオが死んだ日のきっかり三百年後に生まれた。そしてこの偶然の一致が、私が科学者として生きるようになるのに、影響を及ぼしたのかもしれないと考えてみるのは楽しい。とはいえ、私の見積もりによれば、その日には私のほかにも二十万人ほどの赤ん坊が生まれている。そのうち、やがて天文学に興味を持つようになった人がひとりでもいたかどうかは知る由もない。

私はロンドンのハイゲート〔ロンドン中心部のカムデン区にある一地区〕にあった、縦長で横幅の狭いヴィクトリア様式の家で育った。ロンドンは爆撃されて焼け野原になるだろうと誰もが思っていた第二次世界大戦中に、両親が格安で購入した家だった。実際、第二次世界大戦末期に、ドイツが開発したV2ロケット弾が、ほんの数軒先に着弾した。当時私は母親と妹とともに疎開していたし、父は幸運にも怪我をせずにすんだ。それから何年もしてからも、道の先には大きな爆撃跡があり、私は友だちのハワードとよくそのなかに入って遊んだものだった。ハワードと私は、私の全人生を駆り立ててきたのと同じ好奇心で、爆撃の結果をことこまかに調べた。

一九五〇年、父の職場が、ロンドンの北端に新たに建設されたミルヒルの国立医学研究所に移ったため、家族みなで近隣の大聖堂の町、セント・オールバンズに引っ越した。私は、「女子のためのハイスクール」に通うことになった。こんな名前ではあったが、十歳までの少年も受け入れていたのだ〔現在は完全に女子校になっている〕。その後、十世紀に創設されたセント・オールバンズ・スクールに入ったが、私はクラスで半分よりも上の成績をとったことがなかった——とても優秀なクラスだったのだ。しかし、クラスメートにアインシュタインというニックネームをつけられたところをみると、何か成績以上のものがあると思われたのかもしれない。十二歳のとき、友人のひとりが別の友人と、私が大物になるかどうかをめぐって、お菓子を一袋賭けたこともあった。

セント・オールバンズでは仲の良い友人が六、七人できて、ラジコン・モデルから宗教まで、あらゆることについて延々と論じ合ったり、言い争ったりしたものだった。私たちが論じたビッグ・クエスチョンのひとつが宇宙の起源であり、宇宙を創造して回していく神が必要かどうかということだった。遠くの銀河から届く光は、スペクトルの赤い端のほうにずれているとか、そのずれは宇宙が膨張していることを示しているのだとかいう話も聞いた。しかし私は、そのずれ、いわゆる赤方偏移《せきほうへんい》は、何か別の理由で生じているにちがいないと確信していた。もしかすると、地球まで旅してくるうちに光がくたびれて、赤くなるのではないだろうか？　宇宙は基本的にはいつも変わらず、永遠に存在しているというほうが、はるかに自然に思われたのだ（それから何年もして、博士号の研究を始めて二年ほどたった頃に宇宙マイクロ波背景放射が発見され、自分がまちがっていたことを知った）。

　私は昔から道具が動く仕組みにとても興味があり、よくおもちゃなどを分解してなかを調べたものだが、元どおりに組み立て直すのはあまり得意ではなかった。どうやら私の論理的な思考能力に、手先の器用さは追いつかなかったようだ。父は科学への興味を伸ばすようにはげましてくれ、私をオックスフォードかケンブリッジに行かせたがっていた。父自身はオックスフォードのユニバーシティ・カレッジに行ったので、息子も自分と同じカレッジを受ければいいと考えていた。その当時、ユニバーシティ・カレッジには数学のフェロー〔通常の講義のほかに、レベルの高い指導を行う教授、准教授、講師など〕がいなかったので、私としては数学ではなく自然科学で奨学金を受けられるかどうか、やるだけやってみるしかなかった。すると我ながら驚いたことに、首尾よく奨学金をもらえることになった。

当時オックスフォードでは、勉強しないことを奨励する雰囲気が蔓延《まんえん》していた。努力しなくても頭が良いふりをするか、頭が良くないことを受け入れて、第四学位をもらうかだった〔実際には第四はなく、点が足りないまたは健康上の理由により試験が受けられないなどの理由で成績不良ということ〕。私はこの風潮を、怠慢の勧めと受け止めた。自分が怠け者だったことを自慢しているのではなく、当時の私はそうだったし、仲間の学生たちもたいてい同様だったということだ。しかし、私の場合、病気がすべてを変えた。若くして死ぬかもしれないという状況におかれたら、人生が終わる前にやっておきたいことがたくさんあると気づくものだ。

勉強が足りなかった私は、こまごまとした知識が必要になる問題は避けて、理論物理学の問題に的を絞って最終試験を切り抜けようともくろんだ。ところが試験の前の晩に徹夜をしたせいで体調が優れず、成績はあまり良くなかった。私の得点は、第一学位と第二学位のボーダーラインにあったので、どちらにするかを判定するために、試験官たちが口頭試問をすることになった。その試問の場で、試験官たちは私に、この先どうするつもりかと尋ねた。私は研究者になりたいと答えた。そして、もしも第一学位をくださるなら、ケンブリッジに行くことにします。第二学位しかもらえないのなら、オックスフォードにとどまるつもりです、と答えた。

試験官たちが私にくれたのは第一学位だった。

最終試験が終わると長い休暇があるのだが、ユニバーシティ・カレッジはその休暇のために、少額ながら旅行の補助制度をいくつか用意してくれていた。遠くへ行く計画を提出したほうが補助金をもらえる可能性は高いだろうと踏んだ私は、イランに行きたいと申し出た。一九六二年の夏、私はイランに向けて旅立ち、まず列車でイスタンブールに行き、それからトルコ東部のエルズルムへ、さらにタブリーズ、テヘラン、イスファハン、シーラーズ、そして古代ペルシアの王たちの首都であるペルセポリスを訪れた。帰国の途上で、私と旅の仲間のリチャード・チーンは、ボインザラ地震に遭遇する。それはマグニチュード七・二で、一万二千人以上が亡くなった大地震だ。私はそのとき震源のほぼ真上にいたはずなのだが、体調を崩していたうえに、平坦とは言いがたいイランの道を走るバスに乗って、上下にひどく揺られていたせいで地震があったことに気づかなかった。

それから数日ほどタブリーズで過ごすうちに、ひどい赤痢《せきり》と、バスのなかで前の席に投げつけられて骨折した肋骨《ろっこつ》も回復に向かったが、私たちはペルシア語ができなかったため大震災のことはまだ知らずにいた。何が起こったのかを知ったのは、ようやくイスタンブールに着いてからのことだった。私は十日間も息子からの安否の知らせを待ってやきもきしていた両親にハガキを出した。なにしろ両親が聞いた最後の消息は、壊滅的な被害に遭った地方に向かうために、まさに地震の日にテヘランを出発するという内容だったからだ。地震に遭ったにもかかわらず、イランで過ごしたあの旅は、懐かしい思い出がいっぱいだ。世界に対する強い好奇心のせいで、ひどい目に遭うこともあるかもしれないが、私の身にそれが起こったのは、おそらくは生涯でただ一度、この旅行のときだけだと思う。

私がケンブリッジ大学応用数学および理論物理学科にやってきたのは、一九六二年十月、二十歳のときのことだ。私は、当時イギリスでもっとも有名な天文学者だったフレッド・ホイルに指導教官になってもらおうと願書を出していた。ここでホイルのことを「天文学者」と言ったのは、当時、宇宙論はまっとうな科学分野だとは考えられていなかったためだ。あいにく、ホイルはすでに十分な人数の学生を抱えていたので、私はほとんど名前を聞いたこともなかったデニス・シアマの指導下に入ることになり、これにはずいぶんがっかりしたものだ。しかしホイルの学生にならなかったのは、むしろ幸いだった。そうなっていれば、私は彼の定常宇宙論を擁護することになっただろうが、それはイギリスのEU離脱《ブレグジット》の交渉よりも難しかっただろうからだ。私は自分の研究を始めるにあたり、一般相対性理論の古い教科書をいくつか読んだ――そしていつものように、とくに重要なビッグ・クエスチョンに引き寄せられていった。

本書の読者のなかには、エディ・レッドメインが、えらくハンサムな私を演じる映画を見た人もいるかもしれない。そこに描かれているように、オックスフォード大学の三年生のときに、身体の動きが徐々にぎこちなくなっているらしいことに気がついた。一度か二度、これといった理由もなく転倒したし、スカル競技のボートがうまく漕げなくなった。何かがおかしいのは明らかだった。そんなとき、ある医師からビールの飲みすぎだと言われて、私はちょっとムッとした。

ケンブリッジで迎えた最初の冬は、厳しい寒さだった。クリスマス休暇で家に帰ると、母がセント・オールバンズの湖でスケートをしてはどうかとしきりに勧めるので、自分にはスケートは無理だと知りつつ、母の言葉に従った。私は転倒し、なかなか起き上がれなかった。何かおかしいと気づいた母は、私を医者に連れていった。

私はロンドンの聖バーソロミュー病院に何週間も入院し、たくさんの検査を受けた。一九六二年当時の検査は、いまと比べて多少原始的だった。腕から筋肉のサンプルが採取されたり、電極を身体に突き刺されたりしたし、脊椎《せきつい》に放射線不透過性の液体を注入されて、ベッドを傾けてX線を照射され、医師たちはその液体が上がったり下がったりするのを見ていた。どこが悪いのか、正確なところはけっして教えてくれなかったが、状況があまり良くないことは十分察しがついたので、私としてもあえて聞きたくはなかった。医師たちのやりとりから、何が悪いにせよ、私が今後悪化の一途をたどるであろうこと、そしてビタミン剤を投与する以外に、彼らに打つ手はないことを知った。実際、検査をした医師は私から手を引き、彼の姿を見ることは二度となかった。

私はいずれかの時点で、自分の病気が筋萎縮性側索《そくさく》硬化症（ＡＬＳ）であることを知ったにちがいない。ＡＬＳは運動ニューロン疾患の一種で、脳と脊髄《せきずい》の神経細胞（ニューロン）が萎縮して、やがて損なわれたり硬化したりする病気だ。この病気になった人は徐々に運動や会話ができなくなり、食べることもできなくなって、最終的には呼吸もコントロール不能になることも知った。

私の病状は急速に進んでいるようだった。当然ながら、私は落ち込み、博士号の研究を続ける意味が見出せなくなった。なにしろ研究を終えるまで生きられるかどうかもわからなかったのだ。しかしその後、病気の進行がゆるやかになって、研究への情熱が再燃した。余命の期待値がいったんゼロまで下がったことで、新たな一日一日は思いがけない贈りものとなり、そのとき手にしているものすべてがありがたく感じられるようになった。命あるかぎり、希望はあるものだ。

そしてそう、ジェーンという若い女性がいた。彼女と知り合ったのは、あるパーティーでのことだった。ジェーンは、ふたりで力を合わせれば私の病に立ち向かえるという確固たる信念を持っていた。彼女のそんな確信が、私の希望になった。婚約をしたことで、私は俄然やる気になり、結婚するなら仕事を得て、博士号の研究を仕上げなければならないと思った。そしてこのときもまた、ビッグ・クエスチョンが私を駆り立ててくれた。私は猛然と仕事に取り掛かり、そして仕事は楽しかった。

研究中の生活費を稼ぐために、私はケンブリッジ大学ゴンヴィル・アンド・キーズ・カレッジの特別研究員《リサーチフェロー》に応募した。驚いたことに私はフェローに選任され、それ以来ずっとキーズのフェローをやっている。フェローになったことは、私の人生の転換点だった。フェローになれたということは、身体がだんだん不自由になっても、研究を続けられるということを意味していた。そしてまた、ジェーンと結婚できるということを意味してもいた。私たちは一九六五年七月に結婚した。その約二年後に、最初の子どもロバートが生まれた。ふたり目の子どもルーシーが生まれたのは、その三年後。そして一九七九年には、三番目の子どもティモシーが生まれることになる。

父親になって、私は子どもたちに、つねに問いを発することの大切さを教え込もうとするようになった。あるとき息子のティムが学校の面接で、疑問を持つことについて話した。当時私は、その疑問はちょっと馬鹿げていると思った。ティムは、小さな宇宙がそこらにたくさんあるかどうかを知りたかったのだ。私はティムに、どれほどイカレているように思えても(「イカレている」という言葉を使ったのは、私ではなくティムである)、アイディアや仮説を思いつくことをけっして恐れてはいけないと話した。

ブラックホール研究の黄金時代

一九六〇年代の初頭における宇宙論のビッグ・クエスチョンは、「宇宙に始まりはあるのか?」ということだった。多くの科学者は、宇宙に始まりがあるはずはないと直観的に思っていた。なぜなら、宇宙創造の点において、科学は破綻するだろうと感じていたからだ。宇宙がどのように始まったかを明らかにするためには、宗教と神の手に頼らなければならないだろう、と。これは明らかに根源的な問いであり、私が博士論文を完成させるために、まさに必要としていたものでもあった。

ロジャー・ペンローズは、死につつある星が収縮して、ある半径よりも小さくなると、どうしても特異点が生じ、そこにおいて空間と時間は終わるということをすでに示していた。大きな質量を持つ冷たい星が自重のために潰れ、最終的に密度が無限大の特異点になるのを食い止められないことはすでにわかっている、と私は考えた。そして私は、それと同じ議論が、宇宙の膨張にも当てはまることに気づいたのだ。その場合、時空の始まりにも特異点があることを、私は証明することができた。

「我、発見せり《ヘウレーカ》」の瞬間が訪れたのは、一九七〇年、娘のルーシーが生まれて数日後のことだった。身体が不自由なため、ベッドに入るのに手間取っていたときのこと、特異点定理を証明するために発展させていた因果構造理論を、ブラックホールに応用できることに気づいたのだ。もしも、一般相対性理論が正しく、エネルギー密度の値が正ならば、事象地平——ブラックホールの境界面——の面積には、そのブラックホールにさらに物質や放射が落下するにつれて大きくなるという性質がある。そればかりか、もしもふたつのブラックホールが衝突して、ひとつの大きなブラックホールになったとすれば、結果として生じたブラックホールを取り巻く事象地平の面積は、元の二個のブラックホールそれぞれの事象地平の面積の和よりも大きくなるのだ。

あの一時期は、まさに黄金時代だった。ブラックホールは存在するという証拠が観測からはまだひとつも得られていなかったときに、私たちはブラックホール理論における主要な問題のほとんどを解決した。実際、古典的な一般相対性理論を使った研究があまりにもうまくいったため、ジョージ・エリスと共著で『時空の大規模構造（*The Large Scale Structure of Space-Time*）』という本を刊行したあとの一九七三年には、私はやることがなくなって、少々手持ち無沙汰になっていた。ペンローズと一緒にやった研究では、一般相対性理論は特異点で破綻することを示したのだから、次に踏むべきステップははっきりしていた。一般相対性理論（非常に大きなものについての理論）を、量子論（非常に小さなものについての理論）と合体させることだ。

とくに私が興味を持ったのは、初期宇宙で形成された小さな原始ブラックホールを原子核とする原子を作ることはできるだろうかということだった。

研究の結果、重力と熱力学とのあいだには、予想もしなかった深いつながりがあることがわかり、あまり進展がないまま三十年ものあいだ論争の続いていたパラドックスが解消された。そのパラドックスとは、収縮するブラックホールから放出され、ブラックホールが消滅したあとに残された放射が、いったいどうすればブラックホールを作り上げたものに関する情報を運べるのかということだ。私が発見したのは、情報は失われないが、役立つような形では取り戻せないということだった。それはちょうど、百科事典を燃やしてしまい、煙と灰を取っておくようなものだ。

私はその答えを導き出すために、量子的な場または粒子が散乱されて、ブラックホールから離れていくようすを調べてみた（131ページ参照）。予想によれば、入射波の一部は吸収され、残りは散乱されるはずだった。ところが、ブラックホールそのものから出てくる放射があるらしいことがわかって、私は仰天した。はじめ私は、何か計算ミスをしたのにちがいないと思った。ところがその放射は、ブラックホールの事象地平の面積と、そのブラックホールのエントロピーとを同一視するために、ちょうど必要なものになっていることに気づいて、結果の正しさを確信した。エントロピーとは系の無秩序さの尺度で、ブラックホールのエントロピーは、次のシンプルな式として表される。

$$S=\frac{Akc^3}{4G\hbar}$$

この式は、エントロピーSを事象地平の面積Aで表しており、自然界の基本定数である光の速度c、ニュートンの重力定数G、プランク定数$\hbar$、統計力学のボルツマン定数kが含まれている。ブラックホールから放射される熱的放射は、今日ではホーキング放射と呼ばれており、これを発見したことを私はとても誇らしく思っている。

一九七四年、私は王立協会のフェローに選出された。まだ若輩でリサーチ・アシスタントの身分だった私がフェローに選ばれたので、学部の同僚たちは驚いたようだった。しかしその三年後、私は教授に昇進した。ブラックホールの仕事をしたことで、私は「すべてを説明する理論」は見つかるだろうと思うようになったし、また、そうして答えを追い求めることが、私を引きつづき研究に駆り立てた。

その同じ年に、友人のキップ・ソーンが、私と子どもたち、そして一般相対性理論を研究している何人かをカリフォルニア工科大学（カルテック）に招いてくれた。それまでの四年間、私は青い電動三輪車と手動の車椅子を使っていた。三輪車の速度は遅く、私は時どき交通法規に違反して、それに人を乗せて走ったものだ。カリフォルニアでは、キャンパスからほど近いところにある、カルテックが所有するコロニアル様式の家に住み、どこでも一日じゅう電動車椅子を使うことができた。そのおかげでかなり自由に行動できるようになり、とくにアメリカの建物や歩道は、イギリスよりずっと障がい者にとって暮らしやすくなっていた。

一九七五年にカルテックからイギリスに戻ると、はじめはかなり気持ちが落ち込んだ。アメリカの「なせばなる精神」に比べて、イギリスではいっさいがあまりに偏狭で、制限されているように感じたのだ。当時のイギリスは、あちこちでニレ立枯《たちがれ》病のために木が枯れ、国じゅうがストライキに覆われていた。しかし仕事がうまくいき、一九七九年に、かつてサー・アイザック・ニュートンやポール・ディラックが就いていた数学のルーカス教授職に任命されると、気分はだいぶ上向きになった。

一九七〇年代には、私はおもにブラックホールの仕事をしていたが、初期宇宙には空間が猛烈な加速膨張をするという、あたかもブレグジットを決めた投票以降の物価のようなインフレーションの時期があったという説が提唱されると、宇宙論への興味が再燃した。私はまた、時間を作ってジム・ハートルと仕事をし、私たちが「無境界《ノーバウンダリー》」と呼ぶ、宇宙の誕生を説明する理論を定式化した。

本を通して伝えたいこと

一九八〇年代のはじめまで私の健康状態は悪化を続け、咽喉が弱くなり、食べたものが肺に入るようになったため、息のできない苦しい状態に延々と耐えなければならなくなった。一九八五年には、スイスにある欧州原子核研究機構（CERN《セルン》）を訪問中に肺炎を起こした。それは、それまでの人生を一変させるできごとだった。私は急遽《きゅうきょ》ルツェルン州立病院に運び込まれ、人工呼吸器につながれた。医師たちはジェーンに、病状は手の打ちようのない段階に入りつつあり、私の命を終わらせるために人工呼吸器を外すと告げた。しかしジェーンはそれを拒否し、救急輸送機でケンブリッジ大学のアデンブルックス病院に私を連れ帰った。

それが非常に厳しい時期だったことはご想像どおりだが、ありがたいことに、アデンブルックス病院の医師たちは大変な努力をしてくれた。それでも、私の咽喉はあいかわらず肺に食物と唾液を送り込んだため、気管切開を行わなければならなくなった。ほとんどの方はご存知のことと思うが、気管切開を行えば話ができなくなる。声はとても大切だ。私がそうだったように、発音が不明瞭だと知的に問題があると思われやすく、人びとはそういう人物として接するようになる。気管切開をするまで私の発音はとても不明瞭で、私をよく知る人たちにしか、言うことをわかってもらえなかった。子どもたちは、私の言うことを理解できる、ほんの一握りに含まれていた。気管切開を行ってからしばらくのあいだ、意思疎通をする唯一の方法は、スペリングカード上の正しい文字を誰かが指してくれたら眉毛を上げて、一文字ずつ言葉を綴っていくことだった。

幸運にも、ウォルト・ウォルトーズというカリフォルニアに住むコンピュータの専門家が、私の窮状を聞きつけた。ウォルトーズは、「イコライザー」という、自分の書いたプログラムを送ってくれた。このプログラムのおかげで私は、手元のスイッチを押せば、車椅子に取り付けられたコンピュータ画面に示された一連のメニューから、単語ごとに選べるようになった。それ以来、ウォルトーズのシステムは発展を続けている。いま使っているのは、インテルが開発した支援コンテキスト認識ツールキット（ＡＣＡＴ）というプログラムだ。私はこのプログラムを、頬の動きを利用して、眼鏡に仕込まれた小さなセンサーでコントロールしている。それには携帯電話がついていて、インターネットにアクセスすることもできる。私は世界でもっとも接続された《コネクテッド》人間だと言ってしまおう。ただ、私はいまでも、最初の音声合成装置を使いつづけている。ひとつには、話し言葉の区切り方がこれより上手な装置があるという話を聞いたことがないから。またひとつには、いまでは私自身、この装置の作り出す音声が――アメリカなまりであるにもかかわらず――自分の声だと感じているからだ。

宇宙について一般向けの本を書くことを思いついたのは、無境界《ノーバウンダリー》の仕事をしていた一九八二年のことだった。子どもたちの教育費用と、増えつづける私の治療費の足しになればと思ったからでもあるが、最大の理由は、宇宙を理解するという目標に向かって、私たちはどこまで進んだかを語りたかったからだ。宇宙とその内部にあるいっさいを記述する完全な理論を見出すという目標に、私たちはどこまで近づいたのかを語りたかった。問いを発し、それに対する答えを見出すことの重要性だけでなく、私はひとりの科学者として、世界について私たちは何を知りつつあるのかを、世の人びとに伝える義務があると感じていたのだ。

『ホーキング、宇宙を語る（*A Brief History of Time*）』が刊行されたのは、いみじくも一九八八年のエイプリルフールの日だった。当初その本は、『ビッグバンからブラックホールまで——時間の短い歴史（*From the Big Bang to Black Holes: A Short History of Time*）』という書名になる予定だった。しかし書名は切り詰められ、shortはbriefに変えられた。あとは周知のことである。この本は三十五か国語に翻訳され、二千五百万部を超えるベストセラーになった。

『ホーキング、宇宙を語る』があれほどの成功を収めようとは、まったく予想していなかった。障がいを抱えているにもかかわらず、私がいかにして理論物理学者になり、ベストセラーの本を書くことができたのかという、人間的な興味が売れ行きを伸ばしたのは疑う余地がない。誰もがあの本を最後まで読みとおしたわけではないかもしれないし、読んだことのすべてを理解したわけでもないだろう。それでも読者は少なくとも、私たちの存在にかかわるビッグ・クエスチョンのひとつと向き合った。そして、私たちは科学を使って発見し、理解することのできる、合理的な法則に支配された宇宙に住んでいるのだということをわかってくれたのではないかと思う。

研究仲間にとって、私は物理学者のひとりにすぎないけれど、より広く世間一般の人たちにとっては、世界でもっとも有名な科学者のひとりになったのかもしれない。そうなった理由のひとつは、アインシュタインを別にすれば、科学者は広く名の知られたロックスターばりの人気者ではないからだが、もうひとつは、私が障がいを持つ天才というステレオタイプにぴったりはまったからだ。私はカツラやサングラスで変装することができない――車椅子のせいで、すぐに素性がばれてしまう。有名になり、すぐに素性がばれることにはプラスの面とマイナスの面があるが、プラス面はマイナス面とは比較にならないほど大きい。人びとは私と会うことを心から喜んでくれているように見える。二〇一二年にロンドンのパラリンピックで開会宣言をしたときは、それまで経験したことのないほど大勢の観衆の前で話をする経験さえした。

★

私はこの惑星上で、普通ではない生き方をしてきたけれど、頭と物理法則を使って、宇宙をまたにかける旅もした。銀河系の果てまで行ったこともあるし、ブラックホールの内部に入ったことも、時間の始まりにまで遡ったこともある。地上では、良いときも悪いときもあり、波乱もあれば穏やかなときもあり、成功もしたが苦しみも味わった。金持ちになったこともあれば貧乏になったこともあり、健康な身体を持っていたこともあれば障がいを得もした。賞賛されたり批判されたりしたが、無視されたことはなかった。仕事を通して、宇宙に関する私たちの理解に貢献できたことはとても幸運だったと思う。しかし、私が愛する人たち、私を愛してくれる人たちがいなかったなら、宇宙はうつろな世界だっただろう。その人たちがいなかったら、私にとって宇宙の不思議は失われていたにちがいない。

最後に言いたいのは、基本粒子の集まりにすぎない私たち人間が、自分たち自身を支配する、そしてまた私たちのこの宇宙を支配する法則を理解できるようになったという事実は、偉大な功績だということだ。私は、本書に取り上げたビッグ・クエスチョンを考えると胸が躍るし、それらを探究することに情熱を傾けている。その興奮と情熱を、みなさんに伝えたいのだ。

いつの日か、ここにあげたすべての問いに対して、答えが見つけられることを私は願っている。しかし地球上には、これら以外にも大きな問題が、答えなければならないビッグ・クエスチョンがある。それらの問題に対して答えを見つけるためには、科学を理解し、興味を持って、解決に向けて力を注ぐ、新しい世代が必要になるだろう。

過剰に増えつづける人口に、どうすれば食料を供給できるだろう？　どうすれば、清潔な水を供給し、再生可能なエネルギーを作り出し、病気を予防し、さらには治癒させることができるだろう？　地球規模の気候変動が進むペースを落とすことはできるだろうか？　私は、科学とテクノロジーがこれらの問いに答えを与えてくれることを望んでいるが、そうして得られた答えを実際に応用するためには、知識と理解のある人間が必要になるだろう。世界じゅうのすべての人が、健康で安全な生活を送れるように機会を与えられ、愛に満たされるように力を合わせよう。人はみな、未来に向かってともに旅するタイムトラベラーだ。私たちが向かう未来を、誰もが行きたいと思うような未来にするために、力を合わせようではないか。

勇気を持とう。知りたがりになろう。確固たる意思を持とう。そして困難を乗り越えてほしい。それは、できることなのだから。

子ども時代の夢は何でしたか？
その夢は叶いましたか？

子どもの頃の夢は、偉大な科学者になることでした。でも、学校時代の成績はたいしたことはなく、クラスの半分より上の成績をとったこともありません。勉強のやり方は大雑把《おおざっぱ》で、字も汚かった。それでも、学校では良い友だちに恵まれました。友だちとはなんでも話ができたし、とくに宇宙の起源について語り合ったものです。あれが、私の夢の始まりでした。夢が叶ったことは、とても幸運なことだと思っています。

1

IS THERE A GOD ?

神は存在するのか?

科学はますます、かつては宗教の領分にあった問いに答えるようになっている。宗教は、誰もが抱く疑問に答えようとする初期の試みだった。私たちは、なぜここにいるのか？　私たちはどこから来たのか？　大昔には、答えはほとんどつねに同じだった。神がすべてを作ったのだ、と。世界は恐ろしい場所だったから、バイキングのような荒くれ者でさえ、雷、嵐、日食といった自然現象を理解するために超自然的な存在を信じた。いまでは科学が、もっと矛盾のない良い答えを与えているのだが、人びとはこれからも宗教にしがみつくだろう。なぜなら宗教は心に慰めを与えるから。そして人びとが科学を信用していない、あるいは理解していないからだ。

何年か前のことだが、タイムズ紙が一面トップにこんなタイトルを掲げた。「ホーキングいわく、神は宇宙を作らなかった」。その記事にはミケランジェロが描いた恐ろしげな神の姿が添えられていた。そこに掲載された私の写真は、思いあがった独善的な人間のように見えた。まるで神と私が対決しているかのようだった。しかし私はとくに、神に恨みがあるわけではない。神の存在を証明したり反証したりすることが、私の仕事だと思ってもらいたくはない。私の仕事は、私たちの周りの宇宙を理解するための合理的な枠組みを見出すことだ。

何世紀ものあいだ、私のように障がいを持つ者は、神の下した罰を受けながら生きているのだと信じられていた。まあ、私が空の上の誰かを怒らせたということもありえないわけではないだろうが、あらゆることは神を持ち出さずに、自然法則によって説明できると考えるほうがいいと私は思っている。もしも私と同じように科学を信じるのなら、それはつねに成り立つなんらかの法則の存在を信じるということだ。お好みならば、その法則を作ったのが神だと言ってもかまわないけれど、それは神の存在証明というよりはむしろ、神の定義だろう。

紀元前三〇〇年頃に、アリスタルコスという哲学者が、天体が欠けて見える「食」という現象、とくに月食に興味を持った。彼は、月食はほんとうに神々によって引き起こされているのだろうかと疑問を持つだけの勇気があった。アリスタルコスは科学の真のパイオニアだった。そうして天を注意深く調べた彼は、大胆な結論に達した。月が欠けて見えるのは、地球の影が月を通過するためであって、神々とは関係がない、と。この発見によって従来の固定観念から解き放たれたアリスタルコスは、自分の頭上で実際に起こっていることを明らかにし、太陽、地球、月のほんとうの位置関係を図示することができた。そこから彼はいっそう驚くべき結論に達した。地球は、それまで誰もが考えていたように宇宙の中心にあるのではなく、太陽の周りをめぐっているという結論を導き出したのだ。じつは、そういう配置関係がわかってしまえば、すべての食に説明がつく。月の影が地球に落ちれば日食が起こり、地球の影が月に落ちれば月食が起こる。しかしアリスタルコスは、その推理をさらに先まで進めた。星は、彼の同時代人が信じていたように、天の床にあいた穴から漏れてくる光などではなく、私たちの太陽と同じ恒星なのだが、ただしとても遠くにあるというのだ。これは驚くべき気づきだったにちがいない。宇宙は原理または法則によって支配された機械であり、宇宙を支配するその法則は、人間の頭脳で理解することができるのだ。

自然法則と神の役割

私は、自然法則の発見こそは、人類のもっとも偉大な業績だと考えている。なぜなら、宇宙を説明するために神が必要かどうかを教えてくれるのは、自然法則——と今日私たちが呼んでいるもの——だからだ。自然法則は、過去、現在、未来にわたり、ものごとのなりゆきを記述する。テニスボールは、つねに法則が命じるとおりにふるまう。テニスコートではそのほかにも多くの法則が働いている。ボールを打つためのエネルギーが選手の筋肉内で生み出されるプロセスから、選手の足元に生えている草の生長速度まで、自然法則は起こることのいっさいを支配している。しかし、ほんとうに重要なのは、物理学の法則（自然法則）は変えられないということ、さらに宇宙のいたるところで同じだということだ。自然法則は、ボールの飛び方だけでなく、惑星の運動やそのほか宇宙で起こることすべてに当てはまる。人間が作った法則とは異なり、自然法則は破ることができない——自然法則がきわめて強力なのはそのためだし、宗教的な観点から見たときに物議をかもすのもそのためだ。

もしもあなたが私と同じく、自然法則は変えられないということを受け入れるなら、すぐにこんな疑問が浮かぶだろう。では、神の役割とは何だろう？　これは科学と宗教の大きな対立点で、私の考えは新聞の見出しになったけれど、じつは非常に古くからある対立だ。神を、自然法則を体現するものと定義してもいいだろう。しかしほとんどの人たちは、神をそのようにはとらえていない。たいていの人は、神は人間のように人格的な関係を取り結ぶことのできる相手だと思っている。宇宙の広大さを、そして広大な宇宙のなかで、人の生涯がどれほどちっぽけで、たまたまのできごとで生じたものでしかないかを直視するとき、そんなことはとうていありそうにない。

私はアインシュタインと同じく、「神」という言葉を、人格を持たない自然法則という意味で用いる。したがって、神の心を知るということは、自然法則を知るということだ。私の予想では、今世紀の末までに、人類は神の心を知ることができるだろう。

宗教がいまも神の領分だと主張できるのは宇宙の起源だが、ここにおいてさえ科学が進展し、宇宙はどのように始まったのかという問いに対して、まもなく決定的な答えが与えられるにちがいない。私は「神が宇宙を作ったのだろうか？」と問う本を出版して、ちょっとした騒ぎを巻き起こしたことがある。一介の科学者が宗教の問題に口を挟んだことに、人びとは腹を立てた。何を信じるべきかを他人に指図したいとは思わないけれど、神が存在するかどうかは、私にとっては科学が扱うにふさわしい問題だ。つまるところ、何が、あるいは何者がこの宇宙を作ってコントロールしているのかということよりも、重要で根本的な謎は考えられないのだ。

私は、宇宙は自然法則に従い、何もないところから自発的に生まれたと考えている。科学の大前提になっているものに科学的決定論がある。ある時刻における宇宙の状態が与えられれば、宇宙の進化は科学法則によって決定されるということだ。科学法則を定めたのは神なのかもしれないし、そうではないかもしれないが、神は法則を破るために宇宙に介入することはできない。さもなければ、そんなものは法則ではないだろう。そうなると、神に残されるのは宇宙の初期状態を選ぶ自由だけだが、そこにさえ法則がありそうに見える。だとすれば、神には何の自由もないことになる。

宇宙を作る三つの要素

宇宙はこれほど複雑で多様なのに、宇宙を作るためには三つの要素がありさえすればよいことがわかっている。宇宙の作り方が書かれたレシピ本のようなものがあって、必要な材料がのっていると想像してみよう。宇宙を作るには、どんな材料が必要なのだろう？　第一の材料は物質で、これは質量を持つ。物質は、私たちの周りのいたるところに存在して、足元の大地にも宇宙空間にもある。塵《ちり》、岩石、氷、液体も物質だ。大量のガス雲や大きな質量を持つ渦巻き銀河には、それぞれ何十億もの恒星が含まれており、信じられないほど大きな距離に広がっている。

宇宙を作るために必要な第二の材料は、エネルギーだ。エネルギーのことなど一度も考えたことがない人でも、それが何かは知っている。私たちは日々エネルギーに出合う。太陽を見上げれば、顔面にエネルギーを感じる。それは一億五千万キロメートルのかなたにある、ひとつの恒星である太陽が生み出したエネルギーだ。エネルギーは宇宙のいたるところにしみわたり、この宇宙がダイナミックでたえず変化する場所でありつづけるためのさまざまなプロセスを駆動している。

というわけで、物質とエネルギーはすでにわれわれの手中にある。宇宙を作るために必要な第三の要素が、空間、それもだだっ広い空間だ。宇宙はさまざまに形容することができる——畏怖《いふ》の念を起こさせるとか、美しいとか、荒々しいとか。しかし、宇宙のことを狭苦しいとは言えない。どちらを見ても空間があり、その向こうにも空間があり、さらにまた空間がある。空間はあらゆる方向に広がっている。その広大さたるや、頭がくらくらするほどだ。では、これらの物質とエネルギーと空間は、どこから来たのだろうか？　二十世紀になるまで、その答えは見当もつかなかった。

その答えは、おそらくはかつて生きたなかでもっとも卓越した科学者であろう、ある人物の洞察からもたらされた。その人の名はアルベルト・アインシュタイン。残念ながら、私は彼に会ったことがない。なにしろ彼が死んだとき、私はたったの十三歳だったのだ。アインシュタインは、ただならぬことに気がついた――宇宙を作るために必要な、主たる材料のふたつである質量とエネルギーは、本質的には同じものだということだ。お好みならば、同じコインの表と裏と言ってもいいだろう。彼の有名な式$E=mc^2$は、質量は一種のエネルギーで、逆にエネルギーは一種の質量だということを意味しているにすぎない。すると、「宇宙を作るためには三つの材料が必要だ」と言う代わりに、「宇宙にはエネルギーと空間という、ふたつのものがあるだけだ」と言うことができる。では、そのエネルギーと空間はどこから来たのだろうか？

科学者たちは何十年にも及ぶ研究の末に、その答えを見出した。エネルギーと空間は、今日私たちがビッグバンと呼ぶできごとが起こったときに自発的に生じたのだ。

ビッグバンが起こったとき、宇宙全体がいっぺんに出現し、そのとき空間も生じた。そして空間全体が、ちょうど息を吹き込まれた風船のように勢いよく膨張した。では、このエネルギーと空間はどこから来たのだろうか？　いたるところエネルギーに満たされた宇宙全体と、畏怖の念を起こさせるほど広い空間、そしてその内部にあるもののすべては、何もないところから単にひょっこり現れたのだろうか？

ここでふたたび、神の出番が来ると言う人たちがいる。エネルギーと空間は神が作り、ビッグバンは宇宙創造の瞬間だったというのだ。しかし、科学が語る宇宙創造の物語は、それとは別の話だ。トラブルに巻き込まれるのを覚悟で言えば、私たちは、バイキングを畏《おそ》れさせた自然現象をもっとずっとうまく理解できると思う。私たちは、アインシュタインにより見出されたエネルギーと物質の美しい対称性を超えて、その先に進むことさえできる。自然法則を使って宇宙の起源そのものを調べ、宇宙の始まりを説明するには神を持ち出すしかないのかどうかを明らかにすることもできる。

宇宙はただで手に入る

私が子ども時代を過ごした第二次世界大戦後のイギリスは、物資が乏しかった。「ただでは何も手に入らない」と教えられたものだった。しかし、生涯をかけて研究をしてきたいま、私は、じつは宇宙はただで手に入ると思っている。

ビッグバンの核心に横たわる大いなる謎は、空間とエネルギーからなる壮大な宇宙が、いかにして何もないところから現れたのかということだ。その謎を解く秘密を握っているのが、宇宙をめぐるもっとも奇妙な事実のひとつだ。その事実とは、物理法則によれば、「負のエネルギー」と呼ばれる何かが存在しなければならないということだ。

奇妙だが決定的に重要なこの「負のエネルギー」という概念を理解しやすくするために、簡単なたとえ話をさせてもらおう。ひとりの男が、平坦な地面の上に丘を作りたいと考えているとしよう。その丘が、宇宙を表している。丘を作るために、男は地面に穴を掘り、そうして出た土を盛り上げていく。もちろん、男は丘だけでなく、穴も作っている。そしてできた穴は、事実上マイナスの丘だ。穴を満たしていたものが丘になったのだから、両者を足し合わせた結果はゼロになる。これが、宇宙の始まりに起こったことの背後にある、基本的な考え方だ。

ビッグバンで正のエネルギーが大量に生じたとき、それと同じだけの負のエネルギーも生じた。正のエネルギーと負のエネルギーで差し引きはゼロで、エネルギーはその後ずっとゼロだった。全体としてのエネルギーがつねに一定であることは、もうひとつの自然の法則だ。

では、その膨大な量の負のエネルギーは、いまはどこにあるのだろうか？　負のエネルギーのありかこそ、宇宙のレシピ本に示された第三の材料、すなわち空間だ。奇妙な話に聞こえるかもしれないが、重力と運動に関する自然法則（科学の法則としてもっとも古いもののひとつ）によると、空間そのものが負のエネルギーの広大な貯蔵庫なのだ。それだけの負のエネルギーがあれば、すべてを足し上げた結果がゼロになれる。

数学好きな人でもないかぎり、これを理解するのが楽ではないのは認めよう。しかし、これはほんとうのことなのだ。互いに重力で引き合う無数の銀河たちが織りなす関係性は、あたかも巨大な貯蔵装置のようにふるまう。宇宙は、負のエネルギーを溜《た》め込む壮大な蓄電器に似ている。ものごとの正の側面――今日、私たちが目にする質量とエネルギー――は、丘のようなものだ。そして、丘に対応する穴、すなわちものごとの負の側面は、空間のいたるところに広がっている。

ではそのことは、神が存在するかどうかを明らかにしようという探究にとって、何を意味するのだろう？　もしもすべてを足し上げれば宇宙は「無」になると言うのなら、それを作るために神を持ち出す必要はないということだ。宇宙はただで手に入る。宇宙は究極のフリーランチなのだ。

ビッグバンとともに時間が始まった

正と負を足し合わせればゼロになることがわかったのだから、次にやるべきは、何が――あえて言うなら何者が――宇宙誕生の引き金を引いたのかを明らかにすることだ。宇宙は自発的に生じたと言うが、どうすればそんなことができるのだろう？

一見したところ、そう問われても途方にくれるしかない——日常生活では、何もないところから突然何かが生じたりはしないからだ。コーヒーが飲みたくなっても、パチンと指を鳴らして、目の前にコーヒーを出現させることはできない。一杯のコーヒーを作るためには、コーヒー豆と水、あとは好みでミルクや砂糖などが必要になる。しかし、コーヒーカップのなかに入り込み、ミルク粒子のサイズから原子サイズへ、さらには原子以下のサイズへと、どんどん小さなスケールの世界に旅をしていけば、何もないところから何かを作れる世界に入る。その世界では、少なくとも短時間なら、何もないところから何かを作ることができる。だからこそ、そのスケールでは陽子などの粒子が、量子力学と呼ばれる自然法則に従ったふるまいをするのだ。実際その世界では、粒子はランダムに出現し、しばしそのあたりを飛び回ったのち、ふたたび消滅しては、また別のところにひょっこり姿を現す。

かつて宇宙はとても小さかった——おそらく陽子よりも小さかった——ことが、いまではわかっているのだから、小さなスケールでは何かがランダムに出現できるということは、ある驚くべきことを意味している。それは、くらくらするほど広大で複雑な宇宙が、既知の自然法則を破ることなく、何もないところからぽっかり出現できるということだ。いったん宇宙が出現したのち、空間そのものが膨張するにつれて——つまり、エネルギーを差し引きゼロにするために必要な負のエネルギーを含む空間が増えるにつれて——膨大な量のエネルギーが放出される。ここでまた、決定的に重要な例の疑問が湧く。ビッグバンを可能にした量子の法則を作ったのは、神なのではないだろうか？　言い換えれば、ビッグバンを準備するには、神が必要だったのではないだろうか、ということだ。だが、信仰を持つ人を怒らせたいわけではないけれど、科学は、神という創造者を持ち出すよりも説得力のある説明をすることができると私は考えている。

私たちは日常の経験にもとづき、できごとはすべて、それが起こる前に起こったできごとによって引き起こされたにちがいないと考える。そのため、宇宙が存在するには何か原因があるはずだ――その原因は神かもしれない――と考えるのはごく自然なことだ。だが、全体としての宇宙について語るときには、そう考えるのは必ずしも自然ではない。そこを説明させてもらおう。山の斜面を流れ下る川をイメージしてほしい。川を生じさせた原因は何だろうか？　そう、たとえば、以前、山に降った雨が原因かもしれない。しかしその雨の原因は何だろうか？　太陽だ、というのは悪くない答えだ。太陽が海に照りつけて水蒸気を大気中に引き上げ、雨を作ったというわけだ。では、何が太陽を輝かせているのだろうか？　太陽の内部をのぞき込んだとすれば、水素原子核（陽子）が合体してヘリウムの原子核になり、そのとき莫大なエネルギーが放出される、核融合として知られるプロセスが見えるだろう。

ここまでは良いとしよう。では、その水素原子核はどこから来たのだろうか？　その答えがビッグバンだ。しかし、ここが決定的に重要なところだが、自然法則に従えば、宇宙は陽子と同じく何の助けもなく自発的にひょっこり出現できるだけでなく、ビッグバンは原因がなくても起こりうる。原因はいらないのだ。

この説明の背景にはアインシュタインの理論があり、宇宙のなかで空間と時間は根本的なレベルで絡まり合っているという彼の洞察がある。ビッグバンの瞬間には、時間に途方もないことが起こった。時間そのものが始まったのだ。

この途方もない考えを理解するために、空間に漂うブラックホールを考えよう。典型的なブラックホールは、質量が非常に大きいために自分の重さで潰れてしまった星だ。その強大な重力からは、光でさえも逃れることはできない。ブラックホールがほぼ完全に「ブラック」なのはそのためだ。ブラックホールの重力は非常に強いため、光の進路が曲がるだけでなく、時間の進み方も変わる。それを理解するために、ブラックホールに飲み込まれる時計をイメージしてみよう。時計がブラックホールに近づくにつれ、時間の進み方はどんどん遅くなる。時間に対して時計が遅れるのではなく、時間そのものの進み方が遅くなるのだ。

さて、時計がブラックホールに入ったとしよう（時計はブラックホールのすさまじい重力に耐えられるものと仮定する）。すると時計は止まるだろう。時計が壊れたから止まるのではなく、ブラックホールの内部では時間そのものが存在しないのだ。そして時間の消失こそは、宇宙の始まりに起こったことなのだ。

この一世紀のあいだに、宇宙についての理解はめざましい進展を遂げた。今日では、宇宙の始まりやブラックホールのような極端な条件下を別にすれば、あらゆるできごとを支配する法則が知られている。宇宙の始まりに時間が果たした役割は、神のような大いなるデザイナーをお払い箱にし、宇宙はいかにして、自分自身を作ったのかを明らかにするための最後の鍵だと思う。

ビッグバンの瞬間に向かって時間を遡ると、宇宙はどんどん小さくなり、ついには一点になる。そのとき宇宙空間はあまりにも小さいため、事実上、無限に小さく無限に密度の高い一個のブラックホールだ。そして自然法則は、今日宇宙空間に浮かぶブラックホールに対するのと同じく、そうなった宇宙に対しても、とても奇妙なことを告げる。宇宙の始まりでも、時間そのものが止まるというのだ。ビッグバン以前には時間がないのなら、時間を遡ってもビッグバン以前には到達できない。こうして私たちはついに、原因のない何かを発見した。なぜなら、あるできごとに原因があるためには、そこにいたるための時間が必要だが、その時間がないからだ。私にとってそのことは、創造主が存在していたはずの時間がないのだから、創造主が存在する可能性はないということを意味する。

人びとは、なぜ私たちはここにいるのかといったビッグ・クエスチョンへの答えをほしがる。

彼らはお手軽な答えを期待しているのではなく、答えに納得するまで多少の苦労をするのも覚悟のうえだ。神が宇宙を創造したのかという質問を受けるとき、私は質問者に対して、その質問は意味をなさないと答える。ビッグバン以前には時間が存在しなかったのだから、神が宇宙を創造するための時間もなかった。それはちょうど、地球の端へ行くためにはどちらの方角を目指せばよいかと尋ねるのに似ている。地球は端のない球なのだから、端を探すという行為には意味がない。

私に信仰はあるのだろうか？　人はそれぞれ信じたいものを信じる自由があり、「神は存在しない」というのが一番簡単な説明だというのが私の考えだ。宇宙を作った者はいないし、私たちの運命に指図する者もいない。そこから私は、深い気づきに導かれた。おそらく天国は存在せず、死後の生もないだろう。死後の生を信じるのは希望的観測にすぎないと思う。死後の生があるという信頼できる証拠はないし、そんなものがあれば、科学について私が知るかぎりのことと矛盾する。人間は死ねば塵に帰るのだろう。だが、私たちが生きつづけることには意味があり、生きて影響を及ぼすことにも、子どもたちに伝える遺伝子にも意味はある。

私たちの一度きりの人生は、宇宙の大いなるデザインを味わうためにある。そしてそのことに、私はとても感謝している。

神が存在することと、宇宙の始まりと終わりに関するあなたの理解は一致しますか？もしも神が存在して、神に会うチャンスがあったら、神にどんな質問をしますか？

「宇宙は、私たちには理解できない理由により神が選んだやり方で始まったのか、それとも科学法則によって決定された始まり方をしたのか？」というのが、まず問題です。私は後者が正しいと信じています。お好みならば、科学法則を「神」と呼んでもいいですが、その神は、会って質問できるような人格神ではありません。とはいえ、もしもそのような神が存在するなら、十一次元のM理論のような複雑なものを、あなたはどうやって考えたのですかと尋ねてみたいですね。

2

HOW DID IT ALL BEGIN ?

宇宙はどのように始まったのか?

ハムレットいわく、「胡桃《くるみ》の殻に閉じ込められているとしても、自分は無限の宇宙を支配する王なのだと思うことができる」。思うに彼が言いたかったのは、私たち人間は、とくに私の場合は、身体的にはひどく制限されているけれど、心は何の制約もなく宇宙のすみずみを探り、「スター・トレック」でさえ恐れをなす領域にも踏み込んでいけるというようなことだったのではないだろうか。宇宙は実際に無限なのか、それとも非常に大きいというだけなのか？　宇宙には始まりがあったのだろうか？　宇宙は永遠なのか、それともかなり長持ちするというだけなのだろうか？　人類の有限な頭脳に、無限の宇宙を理解することはできるのだろうか？　宇宙を理解しようとすることさえ、私たちの思いあがりではないのだろうか？

人間のために古代の神々から火を盗み出したプロメテウスの運命を背負い込むリスクを冒して、私はこう信じている。宇宙を理解することは可能だし、理解しようとするべきなのだ、と。プロメテウスは永遠に岩につながれるという罰を受けたが、幸いにも、最後にはヘラクレスにより解放された。宇宙を理解することにかけて、私たちはすでにめざましい発展を遂げている。完全な宇宙像はまだ得られていないけれども、その目標からさほど遠くないところにいるのではないかと思いたい。

中央アフリカのボションゴ族によれば、世界の始まりのときに存在したのは、暗闇と水、そして偉大な神ブンバだけだった。ある日のこと、ブンバは胃に痛みを覚えて、太陽を吐き出した。それでもまだ痛みは治まらず、月、星々、それからヒョウ、ワニ、カメなどのいくつかの動物を吐き出し、最後に人間を吐き出したという。

こうした創世神話は、ほかの多くの神話もそうであるように、誰もが抱く問いに答えようとするものだ。なぜ私たちはここにいるのだろう？　私たちはどこから来たのだろう？　この問いへの答えは、たいていの場合、人類はわりあい最近になって出現したというものだった。なぜなら、人類の知識と技術が時とともに改良されているのは明らかだったので。もしも人類がそれほど昔から存在していたなら、もっとずっと先まで進歩しているはずだからだ。したがって、人類の歴史はそれほど古いはずがない、と。たとえば十七世紀のアイルランド、アーマーのアッシャー司教は、創世記にもとづいて、時間の始まりは紀元前四〇〇四年十月二十二日の午後六時だったと結論した。それに対して、山や川など、私たちを取り巻く物理的な環境は、人の一生のあいだほとんど変化しない。そのため、物理的な環境は不変の背景とみなされ、永遠の昔から存在していたか、または人間と同時に作られたとされた。

しかし、宇宙には始まりがあるという考えに誰もが納得していたわけではなかった。たとえば、ギリシャの哲学者のなかでもとくに有名なアリストテレスは、宇宙は永遠の昔から存在していたと考えた。永遠なるものは、創造されたものよりも完全だ。彼は、進歩しているように見えるのは、自然災害が繰り返し起こるせいで文明はそのつど一から出直すことになるからだろうと述べた。宇宙は永遠だと信じることには、宇宙を創造して動かすために神の介入を持ち出すのは避けたいという動機があった。逆に、宇宙には始まりがあると信じる者たちは、それを宇宙の第一原因または第一動者としての神が存在すると主張するための論法として利用した。

もしも宇宙に始まりがあると信じるなら、明らかな問題は次のことだ。「宇宙が始まる前には何があったのか？ 世界を作るときまで、神は何をしていたのか？ そんな問いを発する者たちを送り込むために地獄を作っていたのだろうか？」。宇宙に始まりがあったかどうかは、ドイツの哲学者イマヌエル・カントの大きな関心事だった。カントは、宇宙に始まりがあるにせよないにせよ、この問題には論理的な矛盾、すなわちアンチノミー（二律背反）があると考えていた。もしも宇宙に始まりがあるのなら、なぜ宇宙が始まるまでに無限に長い時間がかかったのだろうか？ 彼は、それ〔宇宙には時間において始まりがあり、空間において限界があること〕を、テーゼ（定立）と呼んだ。一方、もしも宇宙が永遠の過去から存在していたのなら、今日の状態に到達するまでに無限に長い時間がかかったのはなぜだろうか？ 彼はこれ〔宇宙には時間において始まりがなく、空間において限界がないこと〕を、アンチテーゼ（反定立）と呼んだ。これらテーゼとアンチテーゼはどちらも、時間は絶対的だという、カントの、そしてほかのすべての人たちの仮定の上に成り立っていた。つまり時間は、宇宙が存在しようがしまいが、無限の過去から無限の未来に向かって流れるということだ。

いまでも多くの科学者が、心のなかではそのような宇宙像を抱いている。しかし一九一五年に、アインシュタインは一般相対性理論という革命的な理論を導入した。この理論においては、空間と時間は、もはや絶対的なものではない。できごとが起こるための舞台背景となる不変不動の書き割りのようなものではなくなったのだ。その代わりに空間と時間は、宇宙に含まれる物質とエネルギーによって形づくられる力学的な量になった。空間と時間は、宇宙の内部だけで定義され、宇宙が始まる前の時間について語ることには意味がなくなった。それはちょうど、南極の南にある場所に行くためにはどうすればいいかと問うようなものだろう。そんな場所は定義されていないのだ。

アインシュタインの理論は空間と時間を統一したけれども、空間そのものについては、それほど多くのことを教えてはくれなかった。空間について自明なことに思われるのは、空間はどこまでも広がっているということだ。宇宙の果てが煉《れん》瓦《が》の壁になっているとは誰も思わない。とはいえ、煉瓦の壁ではないと考えることに合理的な根拠があるわけでもない。しかし、ハッブル宇宙望遠鏡のような現代的な観測装置のおかげで、はるか遠くの宇宙までも探れるようになった。深宇宙をのぞき込むと、そこにはさまざまな色や形やサイズをした無数の銀河が見える。巨大な楕《だ》円《えん》型の銀河もあれば、私たちの銀河系と同じような渦巻き銀河もある。それぞれの銀河には莫大な数の恒星が含まれていて、その多くは惑星を従えている。私たち自身の銀河系が、いくつかの方角で視野をさえぎっているけれど、それを別にすれば、ところどころ銀河が集中した領域や、ほとんど銀河のない領域があるにせよ、銀河は宇宙空間にほぼ均一に分布している。非常に遠くでは、銀河の密度が急に小さくなるように見えるが、それはたぶん、遠方の銀河はあまりにも遠いため、私たちには見えないほど光が弱まるからだろう。私たちが観測できる範囲において、宇宙空間はどこまでも広がり、どこまで行っても同じであるようだ。

宇宙は、空間のいたるところでほぼ同じように見えるが、時間とともに変化しているのはまちがいない。それがわかったのは、ようやく二十世紀のはじめになってのことだった。それまでは、宇宙は時間がたっても本質的には変わらないと考えられていた。宇宙は無限の過去から存在したのかもしれないが、もしもそうなら馬鹿げた結論が導かれそうだった。もしも恒星が無限の過去から光を出していたのなら、宇宙は恒星たちと同じ温度にまで熱せられていただろう。空のどの方角に目を向けても、その視線の終端が恒星であろうが、塵の雲であろうが、すべては恒星と同じ温度になっているのだから、夜でさえ、全天は太陽のように明るく輝いていただろう。すると、夜空は暗いという、誰もが経験的に知っている事実がきわめて重要な観測事実になる。夜空が暗いということは、宇宙が永遠の過去からいまのような状態で存在していたはずがないということを意味する。有限の過去に、星たちが輝き出すような、なんらかのできごとが起こったはずなのだ。星たちが有限の過去に輝き出したのなら、遠くの恒星から出発した光は、まだ私たちのところにたどり着いていないだろう。そう考えれば、宇宙全体が煌々《こうこう》と輝いていない理由を説明することができる。

もしも恒星が永遠の過去からそこに存在していたのなら、なぜ数十億年ほど前になって突如として輝き出したのだろうか？　いかなる時計が、いまこそ輝きはじめるべきときだと恒星たちに教えたのだろう？　この謎は、宇宙は永遠の過去から存在していたと信じるイマヌエル・カントらの哲学者たちを悩ませた。しかしほとんどの人にとっては、アッシャー司教が結論したように、宇宙は数千年ばかり前にほぼいまと同じ姿で創造されたという考えと矛盾しなかった。ところが一九二〇年代になって、ウィルソン山天文台の百インチ望遠鏡を使った観測が行われ、それとは矛盾する事実がわかりはじめたのだ。まずエドウィン・ハッブルは、宇宙にたくさん散らばっている、星雲と呼ばれていたかすかな光のしみは、実際には膨大な数の太陽のような恒星が集まった別の銀河で、ただし非常に遠くにあることを発見した。恒星がこれほど小さくて微弱な光に見えるためには、その距離はとてつもなく大きいはずで、そこから出た光が私たちのところに届くまでには、数百万年、それどころか数十億年もの時間がかかるだろう。そうだとすれば、宇宙がわずか数千年前に始まったはずはない。

だがハッブルの第二の発見は、さらに驚くべきものだった。ハッブルはほかの銀河から来る光を分析して、その銀河が私たちのほうに近づいているのか、遠ざかっているのかを測定してみた。すると驚いたことに、ほとんどすべての銀河が私たちから遠ざかっていることがわかったのだ。しかも遠い銀河ほど大きな速度で遠ざかっていた。言い換えれば、宇宙は膨張しているということだ。銀河たちはお互いから遠ざかっているのだ。

宇宙膨張の発見は、二十世紀に起こった偉大な知的革命のひとつだった。宇宙が膨張しているとは誰も予想もしていなかったし、それを発見したことで、宇宙の起源をめぐる議論は一変した。もしも銀河が互いに遠ざかっているなら、かつて銀河同士はもっと近かったはずだ。今日の膨張速度から逆算すると、百億年から百五十億年ほど前には、銀河たちは互いに寄り集まっていたと推定できる。つまり、宇宙はそのときに、いっさいが空間内の一点に集まった状態で始まったように見えるのだ。

だがそうなると物理学が破綻することになりそうだったので、多くの科学者はその考えが気に入らなかった。宇宙に始まりがあるなら、どんな始まり方にするかを決定するために、便宜上「神」と呼んでよさそうな、宇宙の外部に存在する何者かを持ち出さなければならなくなるだろう。そこで科学者たちは、宇宙は現時点では膨張しているが、始まりはなかったとする理論を提唱した。そんな理論のひとつが、一九四八年にハーマン・ボンディ、トマス・ゴールド、フレッド・ホイルが提出した定常宇宙論だ。

定常宇宙論の基本的な考え方は、銀河が互いに遠ざかるにつれて、そうして生じたすきまに新しい銀河が形成されるというものだ。その素材となる物質は、空間のいたるところでたえず作られているとされた。その場合、宇宙は永遠の過去から存在していても、銀河の分布はいつも同じように見えただろう。そしていつも同じに見えるという性質には、観測で検証できるという大きな長所があった。一九六〇年代のはじめに、マーティン・ライル率いるケンブリッジ大学の電波天文学者たちが、微弱な電波源の分布を調べてみた。電波源は空にかなり均一に分布しており、そのほとんどは銀河系の外にあることが示された。平均すれば、弱い電波源ほど遠方にあるだろう。

定常宇宙論は、電波源の数と強度のあいだに、ある関係が存在することを予測した。しかし観測からは、微弱な電波源は予測よりも多いことが示され、それは過去に行けば行くほど電波源の密度は高くなるということを示唆していた。それは、時間がたっても何も変わらないという定常宇宙論の大前提と矛盾する。ほかにもいくつかの理由により、定常宇宙論は捨てられた。

宇宙に始まりがあることの証明

宇宙に始まりがあることを回避するためのもうひとつの試みとして、宇宙が膨張を始める前に収縮する時期があったとする提案がなされた。物質は回転していたり、局所的な不規則性を持っていたりするため、すべてが一点に集まることはないだろう。物質は部分ごとに別の場所に落ち着き、宇宙の密度はつねに有限な値にとどまって、その後ふたたび膨張を始めることになる。実際、エフゲニー・リフシッツとアイザック・カラトニコフというふたりのロシア人は、厳密な対称性を持たないものが全体として収縮する場合には、密度は有限の値にとどまり、つねに反跳して膨張につながることを証明したと主張した。そうだとすれば、宇宙の創造という厄介な問題が回避できるため、マルクス゠レーニン主義の弁証法的唯物論にとっては非常に都合がよかった。こうしてふたりの結論は、ソヴィエトの科学者たちにとって信仰箇条になった。

私が宇宙論の研究に取り掛かったのは、ちょうどリフシッツとカラトニコフが、宇宙には始まりがないという結論を発表した頃のことだった。私はそれが非常に重要な問題だと思ったが、リフシッツとカラトニコフが用いた議論には納得がいかなかった。

あるできごとは、それより前に起こったなんらかのできごとが原因となって起こり、原因となったそのできごとは、さらにその前に起こったなんらかのできごとが原因となって起こったと考えることに、人は慣れっこになっている。過去に遡る因果の連鎖があるというのだ。だが、その連鎖には始まりがある、つまり最初に起こったできごとがあると仮定してみよう。何がその最初のできごとを引き起こしたのだろうか？　これは多くの科学者にとって、できることなら避けて通りたい問題だった。そういう人たちは、ロシア人たちや定常宇宙論の提唱者たちのように、宇宙には始まりはないと言い張るか、そういう問いは科学の領分ではなく形而上学や信仰の領分に属していると言うかして、この問題を回避しようとした。

しかし私に言わせれば、それは真の科学者がとるべき態度ではない。もしも科学法則が、宇宙の始まりのときに通用しないのなら、ほかにも通用しない場合があるのではないだろうか？　時どきしか成り立たないなら、そんなものは法則ではない。私たちは科学の基礎の上に立ち、宇宙の始まりを理解しなければならないと私は考える。それは私たちの力を超える仕事かもしれないけれど、少なくともやるだけはやってみるべきなのだ。

ロジャー・ペンローズと私は、もしもアインシュタインの一般相対性理論が正しく、いくつか妥当な条件が満たされるなら、宇宙には始まりがなければならないことを示す幾何学的定理を証明することができた。数学的な定理に異議を唱えるのは難しいため、最終的にはリフシッツとカラトニコフも、宇宙には始まりがなければならないことを認めた。宇宙に始まりがあるという考えは、共産主義の考えからすると歓迎すべきものではなかったかもしれないが、物理学においてはイデオロギーによって科学の進展が妨げられることは許されなかった。ソヴィエトにとっても物理学は爆弾を作るために必要とされ、爆弾がちゃんと作動するかどうかは重要なことだった。だが、ソヴィエトのイデオロギーは遺伝学の真理を否定し、実際に生物学の進展を妨げたのだ。

ロジャー・ペンローズと私が証明した定理は、宇宙には始まりがなければならないことを示していたが、宇宙の始まりがどういったものかについては、たいした情報を与えてはくれなかった。その定理は、宇宙の始まりは宇宙とその内部に含まれるいっさいが無限大の密度を持つ一点、すなわち時空の特異点に詰め込まれたビッグバンだったことを示唆していた。その一点において、アインシュタインの一般相対性理論は破綻するだろう。そのため、宇宙がどんなふうに始まったかを予測するために一般相対性理論を使うことはできない。宇宙の始まりは、科学の視野の外にありそうだ。

一九六五年十月、宇宙は非常に密度の高い状態で始まったことを裏づける観測事実が、宇宙の全方位からやってくる微弱な宇宙マイクロ波背景放射の発見によりもたらされた。それは私が特異点について最初の結果を得てから数か月後のことだった。そのマイクロ波は、家庭の電子レンジで使われているのと同じ電磁波だが、はるかに弱い。背景放射でピザを加熱しても摂氏マイナス二百七十・四度にしかならないため、冷凍ピザを解凍することもできないし、熱々にするのは論外だ。宇宙マイクロ波背景放射は、自分の目で観察することができる。アナログのテレビを覚えている人なら、ほぼまちがいなく、このマイクロ波を見ているはずだ。テレビをどの放送局も割り当てられていないチャンネルに合わせたことがある人は、テレビの画面にザーッというノイズが生じたのを見たと思うが、そのノイズの数パーセントは、宇宙マイクロ波背景放射によるものだったのだ。そんな背景放射が存在することに対する唯一の合理的な解釈は、初期宇宙における高温高密度状態の名残りと考えることだ。宇宙が膨張するにつれて放射の温度はどんどん下がり、今日私たちが観測する微弱な光の名残りになったのだろう。

宇宙が特異点とともに始まったということは、私やそのほか多くの人たちにとって、あまりうれしい話ではなかった。ビッグバンに近づくとアインシュタインの一般相対性理論が破綻するが、それはこの理論が「古典理論」と呼ばれるものだからだ。古典理論では、それぞれの粒子は、きちんと定義された位置と速度を持つという、常識的には当たり前のように思われることが暗黙のうちに仮定されている。そういう、いわゆる古典理論においては、ある時刻におけるすべての粒子の位置と速度がわかれば、過去であれ未来であれ、任意の時刻におけるすべての粒子の位置と速度を計算することができる。ところが二十世紀のはじめになって、距離のスケールが非常に小さくなると、未来のできごとを正確に計算できなくなることを科学者たちは発見した。それはただ単に、もっと良い理論を作らなければならないということではない。自然界には、どれほど優れた理論をもってしても取り除くことのできない、あるレベルのランダムさと不確定性があるようなのだ。

それを簡潔に言い表したのが、一九二七年にドイツの科学者ヴェルナー・ハイゼンベルクによって提案された、不確定性原理である。粒子の位置と速度（運動量）の両方を、同時に正確に予測することはできない。位置を正確に予測すればするほど、速度に関する予測の精度は低くなり、速度を正確に予測すればするほど、位置に関する予測の精度が低くなるのだ。

アインシュタインは、宇宙が確率に支配されているという考えに強く異議を唱えた。彼の意見は、「神はサイコロを振らない」という寸言によく表れている。しかし、あらゆる証拠に照らして、神はかなりのギャンブラーらしい。宇宙は巨大なカジノに似ている。そこでは何かにつけてサイコロが振られ、ルーレットが回される。そしてそのたびに、カジノのオーナーは金を失う危険を冒す。それでも、非常に多くの勝負の結果を均《なら》せば、オーナーが勝つように仕組まれている。カジノのオーナーが大金持ちなのはそのためだ。あなたが勝つ唯一の可能性は、数回のサイコロゲームかルーレットに全財産を賭けることだけだ。

宇宙についてもそれと同じことが言える。宇宙が大きければ、サイコロが転がる回数は非常に大きく、その結果を均したものならば予測することができる。だが、宇宙がビッグバンの直後でとても小さかったときには、サイコロが転がる回数も少なく、不確定性原理がとても重要になる。そのため、宇宙の起源を理解するためには、アインシュタインの一般相対性理論に、不確定性原理を組み込まなければならない。少なくとも過去三十年間にわたり、それが理論物理学の大きな課題だった。その問題はまだ解決されていないけれども、この間、私たちはかなりの進展を遂げた。

量子ゆらぎが私たちの宇宙を作った

ここで、私たちは未来を予測しようとしているものと仮定しよう。私たちが知っているのは、粒子の位置と速度をなんらかの形で組み合わせたものだけだから、未来の粒子の位置と速度を正確に予測することはできない。私たちにできることは、その位置と速度の組み合わせに確率を割り振ることだけだ。すると、宇宙の特定の未来が、なんらかの確率を持つことになる。さてここで、それと同じやり方で過去を理解しようとしていると仮定しよう。

いまできる観測の性質からして私たちにできることは、宇宙の歴史のどれかひとつに対して確率を割り振ることだけだ。すると宇宙には起こりうる歴史がたくさんあるにちがいなく、それら多くの歴史のひとつひとつに確率が割り振られている。なかにはイギリスがワールドカップでふたたび優勝するものもあるが、その歴史に与えられた確率は低いかもしれない。

宇宙の歴史がたくさんあるなどという話はSFめいて聞こえるかもしれないが、いまでは科学的事実として受け入れられている。このアイディアを提唱したのは、名門カルテックで研究をしながら、そこらのストリップ劇場でボンゴを叩いていた、リチャード・ファインマンだ。宇宙の仕組みを理解するためにファインマンがとったアプローチは、起こりうるすべての歴史に確率を割り振るというものだった。そして彼は実際にその考え方を使って予測を行い、めざましい成功を収めた。というわけで私たちは、過去のできごとに関する「予測」、つまり「後測」も、この方法でうまくいくはずだと考えている。

今日の科学者は、アインシュタインの一般相対性理論と、宇宙にはたくさんの歴史があるというファインマンのアイディアを組み合わせて、宇宙で起こることのすべてを記述する完全な統一理論にしようとしている。その統一理論があれば、ある時刻の宇宙の状態がわかれば、宇宙がその後どのように進展するかを計算することができるだろう。しかしその理論は、宇宙がどのように始まったのかは教えてくれないだろうし、宇宙の初期状態がどんなだったのかも教えてはくれないだろう。それがわかるためには、さらに知らなければならないことがある。境界条件、すなわち宇宙の果て、空間と時間の端がどんなふうになっているかを私たちに教えてくれる情報が必要なのだ。だが、もしも宇宙の果てが、ごく普通の空間と時間のなかの一点だったとしたら、私たちは、その果てを通り過ぎた、宇宙の果ての向こうもやはり宇宙の一部だと言うことができるだろう。一方、もしも宇宙の果てが、空間と時間がぐしゃぐしゃになった密度無限大の場所だったとしたら、意味のある境界条件を得るのはきわめて難しいだろう。つまり、どんな境界条件があればいいのかは、明らかではないということだ。どんな種類の境界条件を選ぶべきかを教えてくれる、論理的な基礎はなさそうなのだ。

しかし、カリフォルニア大学サンタバーバラ校のジム・ハートルと私は、第三の可能性があることに気がついた。もしかすると宇宙には、空間と時間の境界がないのかもしれない。一見するとこのことは、先に述べた幾何学的定理に真っ向から矛盾しそうに思われる。私が証明した定理によれば、宇宙には始まりがなければならない。つまり、時間において境界がなければならない。だが数学者たちは、ファインマンのテクニックを数学的によく定義されたものにするために虚数時間という概念を作り出した。それは、私たちの経験する実数時間とは何の関係もない。虚数時間は、計算するのに便利な数学的なトリックで、私たちの経験する実数時間の代わりになるものだ。私たちが気づいたのは、虚数時間には境界がないということだった。それならば、境界条件をひねり出す必要もない。私たちはこれを、「無境界《ノーバウンダリー》」と呼んだ。

もしも宇宙の境界条件が、虚数時間には境界がないということなら、宇宙の歴史はひとつだけではないだろう。虚数時間にはたくさんの歴史があり、それぞれの歴史が実数時間におけるひとつの歴史を決定する。そのため、宇宙には膨大な数の歴史があることになる。では、いったい何が、私たちが生きる特定の歴史あるいは一組の歴史を、起こりうるあらゆる歴史の集合のなかから選び出しているのだろうか？

すぐに気づくのは、宇宙に起こりうる歴史の多くは、私たち人間がこうして存在するためになくてはならない、銀河や星の形成プロセスを経ていないということだ。銀河や星がなくても知的な存在が進化することもないとは言えないけれど、その可能性は低そうだ。つまり、「なぜ宇宙はこのような宇宙なのか?」という問いを発することのできる人間が、現にこうして存在しているという事実が、私たちの生きる歴史に制約を課すのだ。このことは、私たちの生きる歴史は、銀河や星を持つような少数派の歴史に属していることをほのめかす。

これは「人間原理」と呼ばれるものの一例だ。人間原理は、宇宙は多かれ少なかれ、私たちが見るようなものでなければならず、もしもそうでなかったら、宇宙を観測する者は存在しなかっただろうという考え方のことだ。

多くの科学者は人間原理を嫌うが、それはこの原理がたいした予言力を持たないまやかしのように見えるからだ。だが、人間原理に厳密な定式化をほどこすことは可能だし、この原理は、宇宙の起源という問題を扱うときには不可欠のように見える。完全な統一理論の最有力候補であるM理論では、宇宙には膨大な数の歴史があってよいという。それらの歴史のほとんどすべては、知的生命が進化するのに適さない。ほとんどの歴史は、空っぽの宇宙になるか、宇宙の寿命が短すぎるか、空間の曲率が大きすぎるか、そのほかなんらかの理由により、私たちが存在するためには適さないのだ。しかし、リチャード・ファインマンの多歴史の考え方によれば、そんな知的生命の存在しない歴史が、非常に大きな確率を持ってもおかしくはない。

知的な存在を含まない歴史がどれだけたくさんあろうと、私たちにはあまり関係がない。私たちにとって興味があるのは、知的な存在が進化するような歴史の部分集合だけだ。その知的生命は、人間に多少とも似ている必要はない。小さな緑色の人でもかまわない。実際、そのほうがよかったかもしれない。知的なふるまいという観点からは、人類の記録はあまりほめられたものではないからだ。

人間原理の威力を示す例として、空間次元の数を考えてみよう。誰もが経験上知っているように、私たちは三次元空間に生きている。つまり、空間内の一点は、三つの数で表すことができる。たとえば緯度、経度、海抜を使ってもいいだろう。だが、空間はなぜ三次元なのだろう？　なぜSFのように一次元や四次元、そのほかの次元ではないのだろう？　じつは、M理論では空間は十次元なのだが（それに加えて時間が一次元ある）、十個ある空間次元のうち、七つの次元はとても小さく丸まっていて、残る三つの次元は大きく広がり、ほとんど平坦だと考えられている。その状態は、飲みもの用のストローにちょっと似ている。ストローの表面は二次元だが、一方の次元が小さく丸まっているため、遠くから見ると一次元の直線のように見える。

なぜ私たちは、十の空間次元のうち八つの次元が小さく丸まり、残るふたつだけが大きく広がった歴史のなかで生きていないのだろうか？　二次元の動物が食べものを消化するのは、とても大変だ。その生きものが私たちと同じく、身体を貫通する消化管を持っていたとすれば、消化管はその生きものをふたつに分割して、哀れな生きものは切り裂かれてしまうだろう。つまり、知的生命のような複雑な生きものが存在できるためには、大きく広がった平坦な空間次元がふたつだけでは足りないのだ。三という次元には、何か特別なところがある。三次元でなら、惑星は恒星の周りで安定した軌道を描くことができる。それは重力という力がロバート・フックにより一六六五年に発見され、アイザック・ニュートンにより詳しく調べられた逆二乗の法則に従うからだ。ある距離だけ離れたふたつの物体のあいだに働く重力を考えよう。距離が二倍になれば、両者のあいだに働く力の強さは四分の一になる。距離が三倍になれば、重力の強さは九分の一になり、距離が四倍になれば十六分の一になる。それが軌道を安定させているのだ。では、空間が四次元ならどうだろう。そのとき重力は逆三乗の法則に従う。ふたつの物体間の距離が二倍になれば、重力の強さは八分の一になり、距離が三倍になれば重力の強さは二十七分の一になり、四倍になれば六十四分の一になる。逆三乗法則では、惑星は恒星の周りに安定した軌道を描くことができない。恒星に引き寄せられてしまうか、恒星から離れて冷たい暗黒の宇宙空間に逃げ出していくかだ。それと同様に、原子内部の電子も安定した軌道を描くことができず、私たちが知るような物質は存在できないだろう。

このように、多歴史の考え方によると、ほぼ平坦に大きく延びた向きはいくつあってもかまわないのだが、知的存在が含まれるのは、平坦な向きが三つのときだけに限られる。そんな歴史のなかでだけ、「なぜ空間は三次元なのか?」という問いが発せられるのだ。

観測される宇宙の特徴として注目すべきもののひとつが、アーノ・ペンジアスとロバート・

ウィルソンによって発見された宇宙マイクロ波背景放射だ。宇宙マイクロ波背景放射は、とても若かった頃の宇宙のようすを教えてくれる化石のようなものだ。空のどの方角に目を向けても、背景放射はみな同じに見える。方角による背景放射の違いは、十万分の一ほどだ。その違いは信じられないほど小さく、なぜそれほど均一なのかは説明を要する。背景放射がそこまでのっぺりと均一であることに対する説明として広く受け入れられているのは、宇宙はその歴史のごく初期に、すさまじい膨張を経験し、少なくとも十億倍の十億倍のさらに十億倍に膨らんだというものだ。インフレーションという名前で知られるその膨張は、あまりにもしばしば私たちを苦しめる物価のインフレーションとは異なり、宇宙にとっては良いできごとだった。もしも、誕生まもない宇宙に起こったのがインフレーションだけだったなら、宇宙マイクロ波背景放射は、空のあらゆる方角で完全に同じだっただろう。では、方角によるわずかな違いは、どこから生じたのだろうか？

一九八二年のはじめに、私は一篇の論文を書き、そのわずかな違いはインフレーション期の量子ゆらぎから生じたと主張した。量子ゆらぎが起こるのは、不確定性原理のためだ。さらにその量子ゆらぎが、宇宙の構造――銀河や恒星、さらには私たち――の種《たね》になった。このアイディアは、それより十年ほど前に私が予想した、ブラックホールの事象地平から出てくる、いわゆるホーキング放射と本質的に同じメカニズムなのだが、ただしこの場合、量子ゆらぎはブラックホールの事象地平ではなく、宇宙を観測できる部分とできない部分に分ける、宇宙の地平面から来る。その年の夏、私たちは、この分野のおもだった研究者が全員参加するワークショップをケンブリッジで開いた。そのとき、銀河を生じさせ、それゆえ私たちを存在させることになった非常に重要な密度のゆらぎをはじめ、今日のインフレーションの考え方の大部分が確立された。何人かの貢献により、最終的な答えが得られた。それはＣＯＢＥ衛星が一九九三年にマイクロ波背景放射のゆらぎを発見する十年前のことだったから、理論は実験よりだいぶ先を行っていたわけだ。

ＣＯＢＥ衛星の十年後にあたる二〇〇三年に、ＷＭＡＰ《ダブリューマップ》衛星から最初の結果が送られてくると、宇宙論は精密科学になった。ＷＭＡＰは、宇宙マイクロ波の温度分布をみごとな地図として描き出した。それは宇宙がわずか四十万歳だった頃のスナップ写真だ。地図に見られる規則性は、インフレーションにより予測されたものと一致し、宇宙の密度がところによりわずかに高かったり低かったりしたことを意味していた。密度がわずかに高いところでは、重力が周囲の物質をさらに引き寄せ、膨張を減速させる。最終的には、それらの物質が重力で寄り集まって、銀河や星が形成される。そんなわけで、マイクロ波でとらえた宇宙の地図は、注意深く見てほしい。それは宇宙のあらゆる構造のもとになる青写真だ。私たちは、生まれたての宇宙にあった量子ゆらぎの産物なのだ。神はほんとうにサイコロを振るのだ。

今日では、WMAPの後を継いだプランク衛星が、はるかに高い解像度で宇宙の地図を作っている。プランク衛星は、私たちの理論を本格的に検証しはじめており、インフレーション理論により存在の予想される原始重力波の痕跡を検出できるかもしれない。それは量子的な重力の効果が空いっぱいに描き出されたようなものだ。

別の宇宙は存在するのか？

私たちの宇宙のほかにも、宇宙は存在するのかもしれない。M理論は、たくさんの異なる歴史に対応して、非常にたくさんの宇宙が何もないところからひょっこり生じたと予想する。それらの宇宙のひとつひとつが、起こりうるたくさんの歴史を持ち、今日まで年を重ね、さらに未来に向かうにつれ、とりうるたくさんの状態を持つ。その状態のほとんどすべては、私たちが観測する宇宙の状態とは大きく異なるだろう。

ジュネーヴにあるＣＥＲＮの大型ハドロン衝突型加速器（ＬＨＣ）で、M理論の最初の証拠が見られるという希望はまだある。この加速器は、M理論の観点からすると低いエネルギー領域を探るだけだが、幸運に恵まれれば、基本理論の信号として比較的弱いもの、たとえば超対称性のようなものが見えるかもしれない。既知の粒子の超対称性パートナーが見つかれば、宇宙についての理解に革命が起こるだろう。

二〇一二年、ＣＥＲＮのＬＨＣが、ヒッグス粒子を見つけたと発表した。これは二十一世紀に入って最初に発見された新粒子だ。ＬＨＣが超対称性を発見するという希望はまだある。そして、たとえＬＨＣでは新しい素粒子が発見されなかったとしても、現在計画中の新世代加速器で超対称性が見られるかもしれない。

宇宙誕生のホット・ビッグバンは、Ｍ理論や時空と物質を作り上げているものに関するさまざまな理論を検証する、究極の高エネルギー実験室だ。理論が違えば、現在の宇宙の構造も違うから、宇宙物理学のデータは、自然界のすべての力を統一する理論についての手がかりになる。ともあれ、私たちの宇宙以外にも宇宙はあるのかもしれないが、残念ながら、ほかの宇宙を探索できるようにはけっしてならないだろう。

ここまで、宇宙の起源についていくばくかのことを見てきた。しかし、大きな問いがふたつ残されている。宇宙は終わるのだろうか？　宇宙はひとつしか存在しないのだろうか？

これについて、考えるべきは次のことだ。宇宙の歴史としてもっとも実現可能性の高そうなものは、未来にどんなふるまいをするだろうか？　知的生物の出現と両立しそうな可能性には、さまざまなものがありそうだ。どの可能性が実現するかは、宇宙に含まれる物質量に依存する。もしもある臨界質量よりも多くの物質が含まれていれば、銀河同士が引き合うように働く重力のために宇宙の膨張速度は減速するだろう。

最終的に銀河は互いに引き合い、すべてが激しく合体するビッグクランチを起こすだろう。実数時間における宇宙の歴史は、そうして終わりを迎えるだろう。極東を訪れたとき、市場への影響が懸念されるから「ビッグクランチ」という言葉は使わないでほしいと頼まれたことがある。それでも市場は大暴落したので、もしかするとこの話が漏れてしまったのかもしれない。イギリスでは、二百億年後にビッグクランチが起こるかもしれないことなど誰も気にしないようだ。そうなる前に、たっぷり飲んだり食べたりして、楽しく過ごせばいいというわけだ。

もしも宇宙の密度が臨界密度よりも小さければ、重力が弱すぎて銀河は散り散りに飛び去る。星たちはいずれ燃え尽き、宇宙はしだいに何もないからっぽの空間になり、温度は下がるだろう。宇宙は終焉を迎えるけれど、この場合の終わり方はそれほどドラマティックではない。それでも私たちには、まだ数十億年の未来がある。

以上、本章の問いに答えるなかで、宇宙の始まりと未来、そして宇宙の性質についていくらか説明を試みた。かつて宇宙は小さくて密度が高かったのだから、本章の冒頭に取り上げた胡桃の殻によく似ている。けれどもこの胡桃には、実数時間において起こることのすべてが書き込まれている。結局、ハムレットは正しかったのだ。私たちは胡桃の殻のなかに閉じ込められているかもしれないが、自分たちは無限の空間を支配する王だと思うことができるのだから。

ビッグバンの前には何があったのですか？

私たちの「無境界《ノーバウンダリー》」の提案によれば、ビッグバンの前に何があったかと問うことには意味がありません。「前」を示すために必要な時間の概念がないからです。それを問うことは、南極点のさらに南には何があるのかと問うのに似ています。時間の概念があるのは、私たちの宇宙の内部だけなのですから。

3

IS THERE OTHER INTELLIGENT LIFE IN THE UNIVERSE ?

宇宙には人間のほかにも知的生命が存在するのか?

宇宙における生命の進化、とりわけ知的生命の進化について、少しばかり憶測をめぐらせてみたい。ここで言う「知的生命」には人類も含まれるものとする。とはいうものの、人類は歴史を通して、ヒトという種の生き残りに役立とうとは考えもせず、ずいぶん愚かなことをやってきたのだけれど。ここでは次のふたつの問題を取り上げよう。「宇宙のどこかほかの場所に生命が存在する確率はどれくらいだろう?」「これから先、生命の進化にどのような可能性があるだろうか?」

時間とともにあたりが散らかっていくというのは、誰もが普通に経験していることだ。この現象には、熱力学第二法則と呼ばれる法則まである。その法則は、宇宙の無秩序すなわちエントロピーは、時間とともにつねに増大すると述べている。だがこの法則が当てはまるのは、無秩序の総量についてだけだ。ある物体の周囲の無秩序の増え方のほうが大きいかぎりにおいて、その物体の秩序は増加することができる。

まさにそれが起こっているのが生命だ。生命は、「無秩序に向かおうという傾向に逆らって存在しつづけることのできる、複製能力をそなえた秩序ある系」と定義することができる。つまり生命は、自分と似ているけれど、自分とは独立した秩序ある系を作ることができる。生命体はそれをするために、秩序あるエネルギー形態——食べもの、日光、電力のようなもの——を、熱という無秩序なエネルギー形態に転換しなければならない。生命体はそうして、自分自身や子孫という形で秩序を増加させながら、環境を含めた系全体の無秩序の総量をつねにより増加させるという条件を満たしている。そう考えるなら、生命体とは、赤ん坊が生まれるたびに家が散らかっていく夫婦のようなものかもしれない。

宇宙はなぜ生命誕生に適していたのか？

あなたや私のような生物には、普通はふたつの要素がある。ひとつは、生きて繁殖する方法をその生命体に教えるための一組の指示。もうひとつは、それらの指示を実行に移すためのメカニズムだ。これらふたつの要素を、生物学ではそれぞれ遺伝子および代謝と呼んでいる。しかしここで強調しておく価値があるのは、それらの要素が生物学的なものである必要はないということだ。たとえばコンピュータ・ウイルスは、コンピュータのメモリ内で自分自身のコピーを作り、それをほかのコンピュータに送り込むプログラムだ。このように、コンピュータ・ウイルスは、さきほど与えた生命体の定義に合っている。生物学的なウイルスと同じくコンピュータ・ウイルスも、指示ないし遺伝子しか持たず、自前の代謝メカニズムは持たないため、生物としてはかなり不足がある。ウイルスは代謝メカニズムを持たない代わりに、宿主となるコンピュータまたは細胞の代謝をリプログラムする。ウイルスは宿主なしには生きられない寄生体なので、それを生物と認めることに疑問を呈する人たちもいる。しかしそれを言うなら、私たち自身も含めて多くの生物は、餌《えさ》になるほかの生物に依存して生きる寄生体なのだ。

コンピュータ・ウイルスは生命とみなすべきだと私は考える。私たち人類が、これまでに作り出した唯一の生物であるコンピュータ・ウイルスが、破壊的としか言いようのない性質を持つという事実は、人間の本性についてなにごとかを語っているのかもしれない。人類は自分たちにそっくりの生命を作り出したというわけだ。ともあれ、電子的な生命は後回しにして、ここでは普通の生物について語ろう。

私たちが普通に「生命」とみなすものは、鎖状につながった炭素原子に、窒素やリンなど、わずかな原子がついたものを基礎としている。炭素以外の元素、たとえばケイ素を基礎とする生命もあるのではないかと考えてみることはできるけれど、炭素は化学的にとても豊かな性質を持つため、生命にとっては格別に都合が良いように思われる。そもそも、炭素原子がこれほど豊かな性質を持って存在していること自体、ＱＣＤ（量子色力学）スケール〔クォークやグルーオンの相互作用を記述する理論のＱＣＤを特徴づけるあるエネルギーの大きさ〕や電荷、さらには時空の次元までも含めた物理定数が、かなり特殊な値に微調整されていなければ実現できないことなのだ。もしもそれらの物理定数の値がいまの値とかなり異なっていたら、炭素原子の原子核は安定的に存在できなかっただろう。原子内電子は、原子核に向かって墜落していたにちがいない。

一見すると、宇宙がこれほどみごとに微調整されていることは、驚くべきことのように思われる。もしかするとそれは、宇宙は人類が出現できるように特別にデザインされたという証拠なのかもしれない。だが人間原理、すなわち「宇宙に関する理論は、私たちが現に存在するという事実と両立しなければならない」という考え方を踏まえるなら、デザインに訴えるそんな論法には慎重にならなければならない。人間原理は、もしもこの宇宙が生命に適さないようなものだったなら、宇宙はなぜこれほど人間に都合良くできているのかと問う私たちも存在しなかったはずだという、当たり前の事実にもとづいている。

人間原理には強いバージョンと弱いバージョンがある。強いバージョンの人間原理では、物理定数の値が異なる宇宙がたくさん存在すると仮定する。物理定数が、生物の基本構成要素としての役割を担うことのできる、炭素のような原子の存在を許す値になっている宇宙は、たくさんある宇宙のなかのほんの一部だけだろう。私たちは、そんな数少ない宇宙のひとつに住んでいるはずだ。そうだとすれば、物理定数が微調整されているように見えるからといって驚くにはあたらない。もしそうでなかったら、私たちは存在しなかったはずなのだから。

以上が強いバージョンの人間原理の考え方だが、私たちの宇宙以外にもたくさんの宇宙があったとして、それらの宇宙にどんな操作的意味を与えればよいのかわからないため、このバージョンの人間原理にはありがたみがない。もしもそれらの多くの宇宙が、私たちの宇宙と完全に切り離されているのなら、そういう宇宙でのできごとは、私たちの宇宙にまったく影響を及ぼせないだろう。そこで私は、強い人間原理ではなく、弱い人間原理として知られているバージョンを使うことにする。そのバージョンでは、物理定数の値は所与のものと考える。それを受け入れたうえで、宇宙の歴史におけるいまこのとき、この惑星上に生命が存在するという事実から、どんな結論が引き出せるかを見てみよう。

生命誕生は起こりにくいできごとなのか？

百三十八億年ほど前に宇宙がビッグバンで始まったとき、炭素はまだ存在しなかった。宇宙はとても高温だったため、物質はすべて陽子と中性子と呼ばれる粒子として存在していた。はじめ陽子と中性子は同数だった。しかし宇宙が膨張するにつれて温度は下がり、ビッグバンからおよそ一分後、温度は摂氏約十億度になった。これは現在の太陽の温度のほぼ百倍だ。この温度になると、中性子が崩壊して陽子になる反応が始まり、陽子がさらに増えた。

もしもそれが起こったことのすべてだったなら、宇宙の物質はみな水素になってしまいだっただろう。水素は、原子核が一個の陽子だけからなる一番簡単な元素だ。しかし実際には、一部の中性子が陽子とくっついて、水素の次に簡単な元素ヘリウムができた。ヘリウムの原子核は、二個の陽子と二個の中性子でできている。だが、水素とヘリウムよりも重い炭素や酸素のような元素は、初期宇宙ではできなかった。水素とヘリウムだけから、生物を作れるとは思えない。いずれにせよ、初期宇宙では温度が高すぎて、原子が結合して分子になることはできなかった。

宇宙は引きつづき膨張し、温度は下がった。やがて周囲よりもわずかに密度の高い領域が生じ、その内部では、ほかよりわずかに多い物質が及ぼす重力のために、膨張は少しずつ減速され、やがて停止した。それらの領域は膨張する代わりに収縮し、やがて銀河や星が生まれた。そんな構造形成が始まったのは、ビッグバンからおよそ二十億年後のことだった。そうしてできた初期の星のなかには、私たちの太陽よりも質量の大きいものがあっただろう。質量の大きな星は太陽より高温になり、初期宇宙でできた水素とヘリウムを燃やして、炭素、酸素、鉄のような、より重い元素を作った。重い元素ができるまでには数億年ほどしかかからなかっただろう。その後、一部の星は超新星爆発を起こして、重い元素を宇宙にばら撒《ま》き、それが原材料になって続く世代の星たちが生まれた。

太陽以外の恒星はあまりにも遠くにあるため、その恒星の周りを惑星が回っているかどうかを直接見ることはできない。しかし、恒星の周りの惑星を発見するために使えるテクニックがふたつある。ひとつは、恒星からやってくる光の量が変化するかどうかを見ることだ。もしも恒星の前を惑星が通過すれば、その恒星から来る光の量がわずかに減るだろう。すると恒星は、ほんの少しだけ暗くなる。もしもそんな明るさの変化が規則正しく起これば、それは、その恒星の前を惑星が規則正しく通過するからだ。ふたつ目のテクニックは、恒星の位置を正確に測定することだ。もしも恒星の周りを惑星がめぐっていれば、その惑星は恒星をわずかにふらつかせるだろう。そんなふらつきが見つかれば、そしてこの場合もやはり、そのふらつきに規則性があれば、恒星の周りを惑星がめぐっていると考えることができる。

　これらの方法がはじめて使われたのは二十年ほど前だったが、いまでは遠くの恒星の周りをめぐる惑星が何千個も見つかっている。推計によると、恒星の五つにひとつは、生命を宿しう《ハビタブル》る距離《ゾーン》で軌道運動をする地球型の惑星を持つようだ。私たちの太陽系は、四十五億年ほど前、つまりビッグバンからおよそ九十億年後に、前の世代の星の残骸で汚染されたガスから生じた。地球は、炭素や酸素のような比較的重い元素からできた。

　そして、いかなるなりゆきでか、それら原材料の一部がDNA分子の形に配列された。DNA分子は有名な二重螺旋《らせん》構造を持ち、この構造は一九五〇年代にフランシス・クリックとジェームズ・ワトソンにより、ケンブリッジ大学ニュー・ミュージアムの敷地内にあった小さな建物で発見された。その螺旋のふたつの鎖は、ペアになった塩基で結びついている。塩基にはアデニン、シトシン、グアニン、チミンの四つのタイプがある。一方の鎖のアデニンは、つねに他方の鎖のチミンと、またグアニンはシトシンと結びつく。このようにDNAの二本鎖を結びつけている塩基はそれぞれ特定の相手とペアになるため、一方の鎖の塩基配列から、もう一方の鎖の相補的な塩基配列が一意的に決まる。二本鎖はその後分離して、それぞれがさらに鎖を組み立てるためのテンプレートになる。DNA分子はこうして、塩基配列にコードされた遺伝情報を複製する。遺伝情報の一部は、コードされた指示を実行し、DNAが自己複製するために必要な原材料の組み立てを担当する、たんぱく質やそのほかの化学物質を作るためにも利用される。

さきほど述べたように、DNA分子が出現した経緯はわかっていない。この分子がランダムなゆらぎで生じる確率はきわめて低く、生命はどこか別の場所から地球にやってきたのではないか――たとえば、惑星がまだ不安定だった頃に、火星から飛んできた岩石に付着していたのではないか――と言う人たちもいれば、銀河のいたるところに生命の種が浮遊しているのかもしれないと言う人たちもいる。しかし、宇宙空間を飛び交う放射線にさらされながら、DNA分子が長く持ちこたえるとは考えにくい。

もしも与えられたどれかの惑星上における生命の発生が非常に起こりにくいできごとなら、生命が発生するまでには長い時間がかかったと考えていいだろう。より正確には、太陽が大きく膨らんで地球を飲み込んでしまう前に私たち人間のような知的生命が進化するための時間的な余裕を見込める範囲で、可能なかぎり後ろにずれ込むだろう。そのための時間的余裕は、太陽の寿命、つまりおよそ百億年だ。それだけの時間のなかで知的生命は宇宙旅行をする方法をマスターし、別の星に脱出できるようになるかもしれない。もしもそれができなければ、地球上の生命は滅びるだろう。

三十五億年ほど前に、地球上にある種の生物が存在したことを示す化石の証拠がある。地球が安定し、生命が発生できるぐらいに温度が下がってからわずか五億年後には、生命が誕生したということになりそうだ。しかし、生命の起源について問いを発することのできる私たちのような知的生命が進化するための時間的な余裕を見込んだとしても、宇宙に生命が発生するまでに七十億年かかってもよかったはずなのだ。もしも与えられたどれかの惑星上に生命が発生する確率がきわめて小さいのなら、なぜ許された時間のおよそ十四分の一で地球上にそれが起こったのだろう?

地球上に早くから生命が発生したことから、適切な条件下で自発的に生命が生じる確率は十分に高いことが示唆される。DNAの材料となった、よりシンプルな形態の組織があったのかもしれない。いったん発生したDNAは生命の生き残りと繁栄に大きな成功を収めたため、それまでの形態はすっかりDNAに取って代わられたのではないだろうか。それまでの形態がどんなものだったかはわからないけれど、ひとつの可能性はRNAだ。

ＲＮＡはＤＮＡと似ているけれど、安定性が低い。短いＲＮＡはＤＮＡのように自己複製することができて、最終的にはＤＮＡを作るための材料になったのかもしれない。ＲＮＡなどの生体分子が自然にできるのは難しいかもしれないが、五億年の時間があれば、そして地球上のほとんどの部分が海洋に覆われていれば、たまたまＲＮＡができる可能性はそれなりにあるかもしれない。

ＤＮＡが自己複製するときには、ランダムにエラーが起こっただろう。エラーの多くは有害で、そのまま消滅する。しかし、なかには中立な――つまり遺伝子の機能には影響を及ぼさない――エラーもあっただろう。一部のエラーはその種の生き残りにプラスに働き、それにより変化した種は、ダーウィンの自然選択によって有利に生き延びただろう。

人類は進化の新しい段階に入った

生物進化のプロセスは、はじめはとてもゆっくりしていた。ごく初期の細胞が多細胞生物になるまでには、二十五億年ほどかかっている。だが、多細胞生物の一部が魚になり、魚の一部が哺乳類《ほにゅうるい》に進化するまでには、十億年もかかっていない。その後、進化のスピードはどんどん上がったように見える。初期の哺乳類から人類に進化するまでには、わずか一億年ほどしかかからなかった。その理由は、人類が持っている重要な器官を、初期の哺乳類はすでに、その種に特有の形で持っていたからだ。初期の哺乳類から人類に進化するためには、微調整をほどこすだけでよかった。

しかし人類の登場とともに、進化はDNAの発生に比肩する決定的に重要な段階に入った。言語、とくに書き言葉が生じたのだ。書き言葉が生じたということは、DNAによる遺伝的なもの以外にも、情報を世代から世代へと伝えられるようになったということだ。有史以来一万年ほどのあいだに、人類のDNAには、生物学的進化による検出可能な変化も多少は起こったが、世代から世代へと伝えられる知識量は途方もなく増大した。私は科学者としての長い経歴のなかで宇宙について知りえたことのいくばくかを伝えようと、本をいくつか書いた。そうすることで、自分の脳みそから紙の上へと知識を移行させ、みなさんに読んでもらえるようにしたのだ。

人類の卵《らん》と精子に含まれるDNAは、およそ三十億の塩基対を含む。しかし、その塩基配列にコードされた情報のかなりの部分は重複しているか、または使われないように見える。そのため、ヒトの全遺伝子に含まれる有効な情報の総量は、おそらく一億ビットほどだろう。一ビットの情報は、イエス＝ノー型の問いへの答えに対応する。それに対して、ペーパーバックの小説には、おそらく二百万ビット程度の情報が含まれていると見られる。したがって、ひとりの人間のＤＮＡに含まれる情報量は、ハリー・ポッター・シリーズの五十冊分に相当するわけだ。主要な国立図書館の蔵書は約五百万冊で、ざっと十兆ビットの情報を貯蔵できる。本またはインターネットを介して伝えられる情報量は、ＤＮＡに含まれる情報量の十万倍になる。

いっそう重要なのは、本に含まれる情報は生物学的な情報よりもすばやい変化とアップデートが可能だということだ。あまり進化していない初期の霊長類から人類が進化するまでには数百万年ほどかかった。その間に、ＤＮＡに含まれる有用な情報は、おそらく数百万ビットほどしか増えていないだろう。つまり、人間の内部で起こる生物学的進化の速度は、一年間に一ビットほどだ。一方、英語で書かれた新刊本は一年間に五万点にのぼり、情報量はざっと一千億ビットになる。もちろん、その情報の大部分はいわゆるゴミで、いかなる生命体にも何の役にも立たない。しかしたとえそうだとしても、有益な情報が付け加わる速度は、ＤＮＡの場合の十億倍とまでは言わずとも百万倍にはなる。

このことが意味するのは、私たちは進化の新しい段階に入ったということだ。はじめ進化は、ランダムな突然変異を通して自然選択により進んだ。このダーウィン的な進化のフェーズが三十五億年ほど続いたのち、情報を交換するために言語を発展させた人類のような種が出現した。しかし過去一万年ほどのあいだに、私たちは外部伝達の段階とでも呼ぶべき新しいフェーズに入った。このフェーズでは、ＤＮＡに含まれ、内的に記録されることにより世代から世代へと伝えられていく情報も多少は変化した。しかし、外的に記録された情報――すなわち、本やそのほかの形で長期的に保存できる情報――の増え方たるや、途方もないことになっている。「進化」という言葉を内的に伝達される遺伝物質に対してだけ用い、外的に伝達される情報に対して用いることに異議を唱える人たちもいる。しかし、その考えは視野が狭すぎると思う。私たちは単なる遺伝子以上の存在だ。洞窟に住んでいた先祖たちと比べて、私たちはとくに強くはないし、本質的にはそれほど賢いわけでもないだろう。私たちと彼らとを区別するものは、過去一万年間に、とりわけ過去三百年間に蓄積された知識なのだ。もっと視野を広げ、人類の進化には、ＤＮＡによるものだけでなく、外的に伝達される情報も含めるのが合理的なのではないだろうか。

宇宙に広まるのは機械的生命なのか？

外的伝達の時代における進化のタイムスケールは、情報蓄積のタイムスケールだ。かつてそれは、数百年、さらには数千年のこともあった。しかしいまでは、そのタイムスケールは約五十年、またはそれ以下になっている。一方、情報を処理する私たちの脳は、数十万年というダーウィンの進化論のタイムスケールでしか進化しない。その食い違いが、問題になりはじめている。十八世紀には、それまでに書かれたすべての本を読んだ人間がいると言われていた。しかし今日、一日に一冊の本を読むとして、国立の図書館ひとつに所蔵されている本を読み終わるまでには何万年もかかるだろう。そしてそれを読み終わる頃には、もっとたくさんの本が書かれているだろう。

そのため、どんな人間であっても、人類の知識のほんの一部しか習得できないことになる。人はどんどん狭い分野に専門化していかざるをえない。将来的にはそのことが、大きな制約になりそうだ。私たちは過去三百年にわたり、指数関数的に知識を増やしてきたが、そんなことがこの先長く続かないのはまちがいない。未来の世代にとっていっそう大きな制約となり、危険でもあるのは、人類が洞窟に住んでいた頃の本能、とくに攻撃衝動をいまだに持ちつづけていることだろう。他人を服従させたり殺したり、女性や食べものを略奪するという形での侵略は、今日にいたるまで、生き残りにかけてはたしかに有利に働いた。しかしいまやその本能が、人類全体と地球上のそのほかの生命のかなりの部分を壊滅させかねない。核戦争はいまももっとも直接的な脅威だが、そのほかにも遺伝子を改変されたウイルスが放出されるといった危険性もある。あるいは温室効果が不安定になるかもしれない。

ダーウィン流の進化が、人類をもっと知的で性質の良いものにしてくれるのを待っている時間はない。しかし私たちは、自分たちのＤＮＡを変化させて改良する「自己設計による進化」

とでも呼べそうな新しいフェーズに入りつつある。私たちのDNAはすでに完全解読されている。つまり「生命の本」を読み終え、その本を訂正し、書き直せるようになりつつある。はじめのうち、遺伝子の改変は、遺伝的な欠陥の修復だけに制限されるだろう——たとえば、たった一個の遺伝子にコントロールされており、原因遺伝子の同定と修正が容易な嚢胞《のうほう》性線維症や筋ジストロフィーなどの病気の治療だけに制限されるだろう。それ以外の特徴、たとえば知性のような特徴は、おそらく多くの遺伝子にコントロールされているだろうから、それらを見つけて、関与する遺伝子間の関係を明らかにするのははるかに難しいにちがいない。それでも今世紀の末までには、知性や攻撃性のような本能を修正する方法が発見されるだろうと私は確信している。

人間に対して遺伝子工学を応用することを禁じる法律が、おそらくは通過することになるだろう。だが、たとえば記憶容量や病気への耐性、寿命といった特徴を改良したいという誘惑に抵抗できない人たちは、きっといるにちがいない。もしもそうして改良された超人類が出現すれば、超人類たちとそれに太刀打ちできない未改良の人間との関係が、大きな政治問題になるだろう。改良されていない人間は、おそらくは死に絶えるか、あるいは軽んじられる存在になるだろう。その一方で、自己設計により、どんどん速いペースで自らを改良する者たち同士のあいだで競争が起こるだろう。

もしも人類が、どうにかして自らをデザインし直し、自己破壊のリスクを減らすか、あるいは除去できれば、その人類はおそらく宇宙に広がり、ほかの惑星や恒星系に植民するだろう。しかし私たちのような化学物質でできたＤＮＡに基礎を置く生物が、長距離の宇宙旅行をするのは難しい。そういう生物の自然な寿命は、宇宙旅行にかかる時間よりも短いからだ。相対性理論によれば、いかなるものも光より速くは移動できないため、もっとも近い恒星に行って帰ってくるだけでも、少なくとも八年はかかるし、銀河系中心部への往復旅行となれば五万年はかかるだろう。ＳＦではこの問題を乗り越えるためにスペースワープをするか、高次元空間を通過する。しかし、生命がどれほど知的になっても、スペースワープや高次元空間の旅ができるようになるとは思えない。相対性理論では、光より速く旅行できれば過去に戻ることもできるため、昔に戻った者が過去を変えてしまうという問題が生じるだろう。それに、もしも過去への旅ができるなら、風変わりで古臭い私たちの暮らしぶりを見てやろうと好奇心でいっぱいの、未来からの旅行者たちがすでにたくさん来ているはずだ。

遺伝子工学を使って、ＤＮＡにもとづく生命が永遠に生きられる、あるいは少なくとも十万年は生きられるようにすることはできるかもしれない。しかしもっと簡単で、すでにほぼ私たちの手中にある方法は、宇宙に機械を送ることだ。そのためには、恒星間旅行ができるぐらい耐久性のある機械を設計すればいい。新しい恒星系に到着したら、適当な惑星に着陸して、鉱物を採掘してさらに多くの機械を作り、それらをまた別の星に送ればいい。そんな機械は、高分子に基礎を置く生命とは異なる、機械的で電子的な要素に基礎を置く新たな生物になるだろう。その生命は、ちょうどＤＮＡがそれ以前に存在した生命に取って代わったように、ＤＮＡにもとづく生命に取って代わるかもしれない。

なぜ知的生命はいまだ訪れないのか？

銀河系を探検しているときに、見知らぬ生物に出会う可能性はどれぐらいあるだろう？　地球上に生命が出現するまでにかかった時間について、さきほど述べたことが正しければ、ほかにも生命を宿した惑星を持つ恒星はたくさんあるにちがいない。そういう恒星系のなかには、地球よりも五十億年早く形成されたものもあるだろう。では、なぜ銀河系は、自己設計する機械や生物学的な生命形態だらけになっていないのだろうか？　なぜ地球にはまだ誰も来ておらず、植民地にもされていないのだろうか？　ところで、ＵＦＯに乗っているのは宇宙からの訪問者だという考えは問題外だ。なぜなら異星人の来訪は、もっとずっとわかりやすい――そしてはるかに不愉快な――形をとるだろうと思うからだ。

なぜ宇宙からの訪問者はまだ来ていないのだろうか？　もしかすると生命が自然発生する確

率は非常に低くて、地球はそれが起こった銀河系で唯一の——あるいは観測可能な宇宙で唯一の——惑星なのかもしれない。それとは別の可能性として、細胞のような自己複製する系が形成される確率はそれなりに高いのだが、そういう生物のほとんどは、知性を進化させなかったというものがある。私たちは、進化が起これば必然的に知的生命が出現すると考えがちだが、そうではないとしたら？　しかし、人間原理の警告に耳を貸すなら、この手の人間を特別視する論法には慎重になるべきだろう。もう少しもっともらしい説明は、進化は多くの結果につながるランダムなプロセスであり、知性の出現は、起こりうる多くの結果のひとつにすぎないというものだ。

長期的に見たとき、知性が生き残りに役立つかどうかも、けっして明らかではない。私たちが作り出したもののせいで、地球上の生物がほとんど絶滅したとしても、細菌などの単細胞生物は生き残るかもしれない。進化の時系列ということで言うと、単細胞生物から知性の先駆けとして不可欠な多細胞生物に進むまでには長い時間（二十五億年）がかかっていることからして、知性が進化する確率はかなり低いのかもしれない。二十五億年という時間は、太陽が大きく膨らんで地球を飲み込むまでに、知的生命の進化に使える時間のかなりの部分を占めているから、生命が知性を発達させる確率は低いという仮説と矛盾しないだろう。だとすると、銀河系には多くの生物が見つかると予想するのはかまわないが、私たちが知的生命に出会う可能性は低そうだ。

生命が知性を進化させずに終わるもうひとつの可能性は、小惑星や彗星《すいせい》の衝突だ。一九九四年、シューメーカー・レヴィ彗星が木星に衝突して、一連の閃光《せんこう》が観察された。およそ六千六百万年前に比較的小さな天体が地球に衝突したときには、恐竜が絶滅したと考えられている。少数の小さな哺乳類は生き延びたが、人間程度のサイズのものは、ほぼ確実に消滅しただろう。そんな天体の衝突が起こる頻度について何か言うのは難しいが、平均すると、二千万年に一度ぐらいと見るのが妥当だろう。もしも、この数字が正確なら、地球上に人類が存在するのは、過去六千六百万年間に大きな衝突がなかったという幸運のおかげだ。銀河系内で生命が進化したほかの惑星は、知的生命が進化するほど長く、衝突の起こらない期間がなかったのかもしれない。

第三の可能性は、生命が形成され、知的存在を進化させる見込みはそれほど低くないのに、その生物系が不安定になり、自らを絶滅させる確率はそれなりに高いというものだ。これは非常に悲観的な結論で、私はそれが正しくないことを強く願っている。

私のお気に入りは、第四の可能性だ。宇宙には、私たちとは異なる形態の知的生命が存在しているのだが、これまで見逃されていたというものだ。二〇一五年に、私はブレイクスルー・イニシアチブ〔知的生命を探査する世界的プロジェクト。「ブレイクスルー・リッスン」「ブレイクスルー・メッセージ」のプロジェクトからなる〕の立ち上げにかかわった。ブレイクスルー・リッスンは、電波望遠鏡を使って地球外知的生命体を探査しようというもので、最先端の施設と潤沢な財源、そして数千時間という電波望遠鏡の観測時間を与えられている。地球以外に文明が存在する証拠を見出そうという科学研究プログラムとしては、過去最大級の規模となる。ブレイクスルー・メッセージは、進歩した文明に解読可能なメッセージを作る国際コンペティションだ。しかし、私たちがメッセージを受け取ったとしても、ある程度事情がわかるまでは、返信することには慎重であるべきだろう。進歩した文明との遭遇は、今日の私たちの発展段階では、アメリカの先住民がコロンブスに遭遇したときのようなものになりかねない。そして私は、アメリカの先住民たちがその出会いのおかげで良い暮らしができるようになったとは思わないのだ。

もしも地球以外のどこかに知的生命がいるのなら、それは私たちが知る生命と似ているでしょうか、それとも異なるでしょうか?

そもそも地球上に知的生命なんているのでしょうか?というのは冗談として、もしも地球以外のどこかに知的生命がいるのなら、その場所はずいぶん遠いはずです。さもなければその知的生命は、すでに地球に来ており、そして知的生命が来ていれば、私たちはそれに気づいているでしょう。その出会いは、映画「インデペンデンス・デイ」のような敵対的なものになるでしょう。

4

CAN WE PREDICT THE FUTURE ?

未来を予言することはできるのか?

古代には、この世界はかなり気まぐれな場所に見えていたにちがいない。洪水や疫病、地震や火山の噴火などが、警告もなければ、理由らしきものもなく起こる世界に思われたはずだ。当時の素朴な人たちはそんな自然現象を、気分しだいで突飛な行動に出る神々のせいにした。神々の行動を予測する方法はなく、唯一望めるのは、捧《ささ》げものや行いによって、歓心を買うことぐらいだった。いまだに多くの人たちは、半ばそんな観点に立って、運命と契約を取り結ぼうとする。もしも学校で良い成績がとれたら、あるいは運転免許試験に合格したら良い行いをしますとか、もっと人に優しくしますとか言うのだ。

しかし人びとは徐々に、自然のふるまいにはある種の規則性があることに気づいたにちがいない。そんな規則性のなかでも、とくに明らかだったのが、空を航《わた》る天体の運動だ。そのため天文学は、最初に発展した科学分野になった。いまから三百年あまり前に、天文学にニュートンが確固とした数学的基礎を与えた。私たちはいまでも、ニュートンの重力理論を使って、ほとんどすべての天体の運動を予測している。天文学の例に続いて、地上の自然現象もまた、厳密な科学法則に従うことが明らかになった。そこから導かれたのが科学的決定論で、この考えをはじめて公式に表明したのは、フランスの科学者、ピエール＝シモン・ラプラスだったらしい。ここでラプラスの実際の言葉を引用したいところだが、彼の文章はほとんどプルーストのように長々しく、入り組んでいる。そのため私はわかりやすく言い換えることにした。彼はだいたい次のように述べた。もしもある時刻における宇宙の全粒子の位置と速度を知ることができれば、過去であれ未来であれ、任意の時刻におけるそれら粒子たちのふるまいを計算することができる。そして、これは少し出所のあやしい話のようだが、ナポレオンから「多くの粒子からなるその系に、汝《なんじ》はいかにして神を組み込むのか」と尋ねられたラプラスは、「閣下、私は神という仮説を必要としません」と答えたという。ラプラスは「神は存在しない」と言ったわけではないだろう。ただ単に、神は自然法則を破るような介入はしないということだ。そしてその立場は、すべての科学者のものでなければならない。もしもなんらかの超自然的な存在が、自然がうまく機能するよう取り計らい、介入をしないと決心した場合にだけ法則が成り立つというなら、そんな法則は科学法則ではない。

ラプラスの時代から今日にいたるまで、ある時刻における宇宙の状態が、そのほかすべての時刻における宇宙の状態を決定するという考えは、科学の中心教義でありつづけている。そのことが意味するのは、少なくとも原理的には、未来は予測できるということだ。しかし現実には、解かなくてはならない方程式が複雑なうえに、しばしばカオスと呼ばれる性質を持っているために、私たちが未来を予測する能力は厳しく制限されている。

映画「ジュラシック・パーク」を見た人はご存知のように、ある場所で起こった小さな攪乱《かくらん》が、別の場所に大きな変化を引き起こすことがある。オーストラリアで一匹の蝶《ちょう》が羽ばたいたために、ニューヨークのセントラルパークで雨が降ることもありえるのだ。問題は、そのなりゆきが再現不可能なことだ。次にその蝶が羽ばたいたときには、さまざまな状況が前とは変化していて、その変化が天気にも影響を及ぼす。天気予報がひどく当てにならないことがあるのは、このカオスという要因のためだ。

量子的なふるまいはなぜ重要なのか?

こうした実際上の困難があったにもかかわらず、科学的決定論は十九世紀を通して公式教義でありつづけた。しかし二十世紀になって、未来を完全に予測するというラプラスのヴィジョンは実現不可能であることを示すふたつの進展があった。そのうちのひとつが、いわゆる量子力学の登場だ。これは一九〇〇年に、ドイツの物理学者マックス・プランクが、当時の重大なパラドックスだったものに対し、その場しのぎの解決策として打ち出した考え方だった。

ラプラスに遡る十九世紀の古典的な考え方によれば、熱せられた金属のような高温の物体は、電磁波を放出するはずだ。そして、電波、赤外線、可視光線、紫外線、X線、ガンマ線と電磁波のすべての波長領域で、同じペースでエネルギーが失われる。そうなると、私たちは全員、皮膚がんで死ぬことになるばかりか、宇宙に存在するものすべてが同じ温度になるはずだが、明らかにそんなことにはなっていない。

けれどもプランクは、電磁放射のエネルギーはどんな小さな値にでもなれるという考えを捨てて、ある決まったサイズの塊《かたまり》、すなわち量子にしかなれないと考えるなら、この壊滅的な事態を回避できることを示した。それをたとえて言えば、スーパーで砂糖を量り売りしてもらえず、一キログラム入りの袋を買うしかないようなものだ。その塊、すなわちエネルギーの量子は、紫外線やX線のほうが赤外線や可視光線よりも大きい。ということは、物体が太陽のような非常に高い温度になっていないかぎり、紫外線やX線の大きなエネルギー量子はただのひとつも放出できないということだ。一杯のコーヒーを飲もうとして日焼けしたりせずにすむのはそのためだ。

プランクは、量子という考えは数学的なトリックにすぎず、それがどんな意味を持つにせよ、物理的な実在性はないと考えていた。ところが物理学者たちは、高温物体からの放射以外にも、物理量の値が連続的に変化するのではなく、離散的な、つまり量子化された値を持つと考えないかぎり説明できないことがあるのに気づきはじめた。たとえば素粒子は、どれかの軸の周りに回転する小さなコマのようにふるまうが、その小さなコマの回転《スピン》は、どんな値にでもなれるわけではなく、ある回転単位の整数倍というとびとびの値しかとれないことが明らかになった。その単位は非常に小さいため、普通のコマを観察しても、回転速度の落ち方が連続的ではなく、離散的な段階をすばやく踏んでいることには気づかない。だが、原子ほども小さなコマになると、回転《スピン》が持つ、そんな離散的な性質がきわめて重要になる。

この量子的なふるまいが、決定論にとって重要な意味を持つことに人びとが気づくまでには時間がかかった。ようやく一九二七年になって、やはりドイツの物理学者ヴェルナー・ハイゼンベルクが、一個の粒子の位置と速度の両方を、同時に正確に測定するわけにはいかないことを指摘した。粒子の位置を観察するためには、その粒子に光を当てなければならない。しかしプランクの仕事が示したように、そのために使う光の量を、好きなだけ小さくすることはできない。光を当てるためには、少なくとも一個の量子を使わなければならないが、塊になった光を当てるせいで粒子の状態は攪乱され、速度が予測不可能なやり方で変化してしまうのだ。粒子の位置を正確に測定しようとすれば、紫外線やX線やガンマ線のような波長の短い光を使わなければならない。しかしこれもまたプランクの仕事から、波長の短い光の量子のほうが、可視光の量子よりエネルギーが大きいとわかった。そのため、波長の短い光を使えば、粒子の速度はいっそう大きく攪乱されてしまう。これではいずれにせようまくいかない。粒子の位置を正確に測定しようとすれば、速度の測定があいまいになるし、粒子の速度を正確に知ろうとすれば、位置の測定があいまいになるのだ。

このことを簡潔に述べたのがハイゼンベルクの不確定性原理で、それは次のように表現される。「一粒子の位置の不確定性」に「その粒子の速度の不確定性」をかけたものは、プランク定数（30ページ参照）をその粒子の質量の二倍で割ったものよりも、つねに大きい。

量子力学が告げる未来の予測不可能性

ラプラスが思い描いた科学的決定論では、宇宙に存在するすべての粒子について、ある瞬間の位置と速度を知らなければならない。ハイゼンベルクの不確定性原理は、この決定論を根底から突き崩した。いま現在、粒子の位置と速度の両方を正確に測定することができないというのに、どうすれば未来を予測できるだろう？　コンピュータがどれほど強力でも、あいまいなデータを入れれば、あいまいな予測が出てくるだけだ。

第二章でも述べたように、アインシュタインは、自然界のこの明らかなランダム性が大いに不満だった。彼の考えは、「神はサイコロを振らない」という有名な言葉に集約されている。彼は、不確定性は暫定的な妥協策にすぎず、その背後には、粒子はきちんと定義された位置と速度を持ち、ラプラスの精神にのっとった決定論的法則に従って推移する実在があると思っていたようだ。背後にあるとされるその実在は、神と呼ばれるものなのかもしれないが、光の量子的性質のせいで、私たちはそれをガラス越しにぼんやり見ることしかできないというのだ。

アインシュタインの立場は、今日では「隠れた変数理論」と呼ばれている。隠れた変数理論は、不確定性原理を物理学に組み込むための方法としては、当然考えてみるべき自明なものに思われるかもしれない。その考え方は、多くの科学者と、ほとんどすべての科学哲学者が抱く宇宙像の基礎になっている。だが、隠れた変数理論はまちがいなのだ。イギリスの物理学者ジョン・ベルは、隠れた変数理論を反証することのできる実験的な検証方法を考えついた。その実験を注意深く行ったところ、隠れた変数理論とは矛盾する結果が得られた。つまり神さえも不確定性原理に縛られていて、一粒子の位置と速度を同時に知ることはできないらしいのだ。あらゆる証拠に照らして、神はことあるごとにサイコロを振るギャンブル常習者であるらしい。

アインシュタイン以外の科学者たちは、十九世紀の古典的決定論の観点に修正を加えることにそれほど抵抗しなかった。そして、ハイゼンベルクとオーストリアの物理学者エルヴィン・シュレーディンガー、イギリスの物理学者ポール・ディラックにより、量子力学という新しい理論が提唱された。ディラックは、私の前の前に、ケンブリッジ大学ルーカス教授職にあった人物だ。量子力学ができてから七十年以上になるけれど、実際にそれを使って計算をしている人たちでさえ、いまだにこの理論をよく理解しているとは言えないし、心から納得しているわけでもない。しかし、量子力学が描き出す物理的宇宙のありようは、古典物理学のそれとはまったく違うのだから、この理論は私たちみなに関係しているはずなのだ。

量子力学においては、粒子はきちんと定義された位置と速度を持たない。その代わりに、粒子は波動関数と呼ばれるもので表される。波動関数というのは、空間の各点に与えられた数だ。ある点における波動関数の大きさは、その点で粒子が見出される確率を与える。そして、ある点から別の点へと波動関数の値が変化する速さが、粒子の速度を与える。小さな領域に鋭いピークを持つ波動関数もある。その場合、位置の不確定性は小さくなるだろう。しかしそんな波動関数では、ピークの一方の側は急激に上昇し、他方の側は急激に下降するため、ピークの周りの変化は大きい。したがって、速度の不確定性は大きくなる。同様に、速度の不確定性は小さいが、位置の不確定性は大きい波動関数もある。

粒子の波動関数には、その粒子について知りうることのすべて、すなわち位置と速度の両方が含まれている。もしもある時刻における波動関数がわかれば、別の時刻におけるその関数の値は、シュレーディンガー方程式と呼ばれるものを使って計算することができる。つまりこの場合にも、ある種の決定論は成り立っているのだが、その決定論はラプラスが思い描いたものとはちがう。私たちにできるのは、粒子の位置と速度を予測することではなく、その粒子の波動関数を予測することだけなのだ。結果として、古典的な十九世紀の観点によれば予測できていたことの半分しか予測できないことになる。

量子力学によれば、位置と速度の両方を予測しようとすると不確定性が生じるが、位置と速度の特定の組み合わせについては、確定した値を予測することができる。しかしそんな確かさえ、最近の進展により危うくなっているようなのだ。問題が生じるのは、重力のせいで時空がひどく歪み、私たちに観測できない空間領域が生じた場合だ。

ブラックホールの内部は、まさにそんな領域になっている。ブラックホールの内部にある粒子は、原理的にも観測することができない。つまり、その粒子の位置と速度はまったく測定できない。こうして、量子力学で見出された予測不可能性に加えて、さらなる予測不可能性を導入することになるのかどうかが問題になっている。

以上の話をまとめておこう。ラプラスが提唱した古典的な観点によると、ある時刻における粒子たちの位置と速度を知ることができれば、それら粒子の未来における運動は完全に決定することができる。ラプラスのこの観点は、ハイゼンベルクが不確定性原理を導入したときに修正を余儀なくされた。不確定性原理によれば、位置と速度を同時に正確に求めることはできない。それでも、位置と速度の特定の組み合わせなら予測することができた。しかしその制限された予測可能性でさえ、ブラックホールを考慮に入れれば消えてなくなるかもしれない。

宇宙を支配する法則は、未来に起こることを正確に予測させてくれますか？

ひとことで言うなら、その答えは「ノー」であり「イエス」でもあります。宇宙を支配する法則は、原理的には未来を予測させてくれますが、実際にはそのための計算はあまりにも難しいことが多いのです。

5

WHAT IS INSIDE A BLACK HOLE ?

ブラックホールの内部には何があるのか?

事実は小説よりも奇なりと言うが、ブラックホール以上にその言葉がぴったり当てはまる場所はない。ブラックホールはＳＦ作家が考えついたどんなものより奇妙だが、その存在は厳然たる科学的事実だ。

ブラックホールをはじめて議論の俎上《そじょう》にのせたのは、ケンブリッジ大学のジョン・ミッチェルという学者で、一七八三年のことだった。ミッチェルはだいたい次のように論じた。もしも粒子（大砲の弾《たま》のようなもの）を真上に打ち上げたとすれば、その粒子の上昇速度は重力のためにしだいに減速されるだろう。いずれ粒子は上昇をやめて、ふたたび地上に落ちてくる。しかし、もしも最初の上昇速度が、脱出速度と呼ばれる臨界速度よりも大きければ、重力にはその粒子を引き止めるだけの力がなく、粒子はそのまま飛び去るだろう。地球の脱出速度は秒速十一キロメートルより少し大きい程度で、太陽では秒速六百十七キロメートルほどになる。どちらも、本物の大砲の弾が飛ぶ速度よりずっと大きい。しかし、どちらの脱出速度も、光の速度である秒速三十万キロメートルよりは小さい。そのため、光はさしたる苦労もなく、地球と太陽のどちらからも飛び去ることができる。

だが、太陽よりも質量がずっと大きく、脱出速度が光の速度より大きい星があっても不思議はない、とミッチェルは論じた。その場合、光は重力によって引き戻され、私たちにはその星は見えないだろう。ミッチェルはそんな星のことを「ダーク・スター」と呼んだ。今日の私たちがブラックホールと呼ぶものがそれだ。

星の重力崩壊

ブラックホールを理解するためには、まず重力から始めなければならない。重力を記述するのはアインシュタインの一般相対性理論だが、これは重力の理論であるだけでなく、空間と時間の理論でもある。空間と時間のふるまいは、彼が一九一五年に提出したアインシュタイン方程式と呼ばれる一組の方程式に支配されている。重力は、自然界の既知の力のなかでは格段に弱いけれど、ほかの力にはない非常に重要な強みがふたつある。そのひとつは、大きな距離を隔てて作用する長距離力だということだ。地球が約一億五千万キロメートルも離れた太陽をめぐる軌道にとらえられているのも、その太陽が約一万光年も離れた銀河中心の周りで軌道運動をしているのも、重力が長距離力だからだ。ふたつめの強みは、引力にも斥力《せきりょく》にもなる電気の力とは異なり、重力はつねに引力として作用することだ。これらふたつの特徴があるために、十分に大きな星では、粒子間に作用する重力がほかのどの力よりも強くなり、星を重力崩壊に導くことができる。ところが科学コミュニティが、質量の大きな星は自らの重力のために崩壊できることや、崩壊後に残された天体がどんなふるまいをするかを理解するまでにはかなり時間がかかった。アルベルト・アインシュタインは一九三九年に、物質をある限界以上に圧縮することはできず、それゆえ星が重力の作用で崩壊することはないとする論文を書いたほどだった。多くの科学者はアインシュタインと同じように考えていた。

重要な例外が、アメリカの科学者ジョン・ホイーラーで、彼はいろいろな意味においてブラックホールの物語の主人公だ。ホイーラーは一九五〇年代から一九六〇年代にかけて、多くの星はいずれ崩壊すると力説し、そのことが理論物理学に提起する問題を調べた。また彼は、崩壊した星のなれのはて、つまりブラックホールが持つ性質をたくさん予見している。

普通の星は、何十億年以上におよぶその生涯の大半を、水素をヘリウムに変える原子核反応で生じる熱的な圧力によって、自らの重力に逆らって自分自身を支えている。だが、星はいずれ核燃料を使い果たす。すると星は重力のために内側に潰れる。星の中心核が重力に逆らって、白色矮星《わいせい》と呼ばれる高密度の天体として残ることもある。しかし、インド出身の物理学者スブラマニアン・チャンドラセカールは一九三〇年に、白色矮星の質量には上限があり、それは太陽質量の一・四倍程度であることを示した。中性子だけからなる中性子星については、ロシアの物理学者レフ・ランダウが同様の上限となる質量を計算した。

では、白色矮星や中性子星になることのできる質量の上限よりも大きな質量を持つ無数の星は、核燃料を使い果たしたのち、どんな運命をたどるのだろうか？　この問題を調べたのが、のちに原子爆弾で名を知られるようになるロバート・オッペンハイマーだ。彼は一九三九年に、ジョージ・ヴォルコフとハートランド・スナイダーと共著で書いたふたつの論文で、そんな大きな質量を持つ星は、内側からの圧力では重力崩壊に抵抗できないことを示した。そして、もしも圧力を無視するなら、均質で球対称性を持つ星は、無限大の密度を持つ一点に収縮することも示した。そんな点のことを特異点と呼ぶ。空間に関する理論はすべて、時空がなめらかでほぼ平坦だという仮定のもとで定式化されている。そんな理論はすべて、時空の曲率が無限大になる特異点で破綻する。実際、特異点は、空間と時間そのものの終わりを画する点なのだ。アインシュタインが特異点はあるはずがないと考えたのは、そのためだった。

そうこうするうちに、第二次世界大戦の影響が研究にも及ぶようになった。ロバート・オッペンハイマーをはじめとして、ほとんどの物理学者たちは興味の対象を原子核物理学に切り替え、重力崩壊の問題はほとんど忘れ去られた。このテーマがふたたび興味を引きはじめたのは、クエーサーという遠方の天体が発見されたときのことだ。一九六三年に最初のクエーサー3C273が発見され、その後続々と新たなクエーサーが見つかった。クエーサーは非常に遠くにあるにもかかわらず明るかった。原子核反応では、質量のほんの一部が純粋なエネルギーとして解放されるだけなので、クエーサーの莫大なエネルギー出力は原子核反応では説明がつかない。それ以外の説明として唯一考えられたのが、重力崩壊で放出される重力エネルギーだった。

こうして星の重力崩壊は再発見された。重力崩壊が起こると、その天体の重力は周囲にある物質すべてを内側に引きずり込む。均一で球形をした星ならば、密度無限大の一点にまで収縮するのは明らかだった。だが、もしもその星が、均一かつ球形ではなかったら何が起こるのだろう？　星の物質が不均一に分布しているために収縮も不均一に起こり、特異点は回避されるのだろうか？　ロジャー・ペンローズは、一九六五年に発表した注目すべき論文で、重力は引力だという事実だけを使って、天体が均一かつ球形ではない場合にも、やはり特異点が生じることを示した。

アインシュタイン方程式は特異点では定義することができない。そのことは、密度無限大の特異点では、未来を予測できないということを意味する。ということは、星が重力崩壊を起こすときはつねに、何かおかしなことが起こっても不思議はないということだ。もしもその特異点が裸でなければ――つまり外部から切り離されているなら――未来を予測できなくても、私たちに影響が及ぶことはないだろう。ペンローズは、恒星やそのほかの天体が重力崩壊してできた特異点はすべてブラックホールの内側にあって、私たちの目には触れないようになっているという宇宙検閲仮説を提唱した。ブラックホールは、重力があまりにも強いため、光さえもそこからは逃げ出せない領域だ。宇宙検閲仮説を反証しようといくつもの試みが行われては失敗しているから、この仮説はほぼまちがいなく正しい。

ブラックホールに落ちると何が起きるか？

一九六七年にジョン・ホイーラーが「ブラックホール」という言葉を導入すると、この新しい言葉は、それまでの「フローズン・スター（凍れる星）」という名前に取って代わった。ホイーラーがひねり出したブラックホールという言葉は、重力崩壊を起こした星の残りは、それが形成された経緯によらず、それ自体として興味の対象になるということを強調するものだった。この新しい名前はすぐに定着した。

ブラックホールの外部から、内部に何があるかを知ることはできない。ブラックホールに何を放り込もうと、そのブラックホールがどんな経緯で形成されたにしても、ブラックホールはみな同じに見える。ジョン・ホイーラーはブラックホールに関するこの基本的な事実を、「ブラックホールには毛がない」と表現したことで知られている。

ブラックホールには、事象地平と呼ばれる境界面がある。それは重力が光を引き戻して、脱出させないだけの強さになる面だ。光よりも速く動ける物体はないから、その面よりも内側では、光のみならず、あらゆるものがブラックホールに引き戻される。事象地平を通過してブラックホールに落ち込むというのは、カヌーでナイアガラの滝から落下するのとちょっと似ている。もしもあなたがナイアガラの滝の上にいるのなら、十分に速くカヌーを漕げば、滝から脱出できるだろう。しかしいったん崖の縁を通り過ぎてしまえば、一巻の終わりだ。そこから戻る方法はない。滝に近づくにつれ、水の流れはだんだん速くなる。そのためカヌーの先端のほうが、後端よりも強い力で引っ張られる。カヌーは引きちぎられるかもしれない。

ブラックホールの場合にも、それと同じことが起こる。あなたが足から先にブラックホールに落下したなら、足のほうがブラックホールに近いため、重力は頭よりも足のほうを強い力で引っ張るだろう。その結果として、あなたは細長く引き伸ばされる。もしもそのブラックホールが、私たちの太陽の数倍ほどの質量を持つなら、あなたはばらばらに引きちぎられて、何本もの細いひも状になるだろう。しかし、もしも落下したのが太陽の百万倍もの質量を持つ巨大ブラックホールなら、あなたの身体のいたるところが同じ強さで引っ張られるため、あなたは何の困難もなく事象地平に到達するだろう。というわけで、もしもブラックホールの内部を探検したいのなら、大きなブラックホールを選ぶことだ。私たちの天の川銀河の中心部には、太陽の四百万倍の質量を持つブラックホールがある。

ブラックホールに落ちていくときは、何も奇妙なことには気づかないだろうが、遠くからあなたを見ている人は、いつまでも事象地平の向こうに消えていかないことに気づくだろう。落下する動きはどんどんスローモーションになり、事象地平のすぐ外側のあたりをいつまでも漂っているように見えるだろう。あなたの姿はしだいにかすんで薄くなり、色はだんだん赤みを帯びて、やがて視界から消えるだろう。外の世界にとってみれば、あなたは永遠に失われたことになる。

娘のルーシーが生まれてまもなく、私に「我、発見せり《ヘウレーカ》」の瞬間が訪れた。ブラックホールの面積定理を発見したのだ。もしも一般相対性理論が正しければ、そして物質のエネルギー密度が正なら（普通はそうだ）、事象地平すなわちブラックホールの境界面の面積は、そのブラックホールにさらに物質や放射が落下するたびに、つねに増大するという特徴を持つ。そればかりか、ふたつのブラックホールが衝突して融合してひとつのブラックホールになれば、その結果として生じたブラックホールを取り巻く事象地平の面積は、はじめのふたつのブラックホールを取り巻く事象地平の面積の和よりも大きいのだ。面積定理は、レーザー干渉計型重力波検出器（ＬＩＧＯ）を使って検証することができる。二〇一五年九月十四日、ＬＩＧＯは、ふたつのブラックホールが衝突して融合したときに生じた重力波を検出した。波の形から、それらふたつのブラックホールの質量と角運動量を推定することができ、ブラックホール無毛定理により、これらふたつの量から事象地平の面積が決まる。

これらの特徴がほのめかすのは、ブラックホールの面積と通常の古典物理学、とくに熱力学のエントロピーという概念とのあいだに類似性があるということだ。エントロピーは系の無秩序の尺度とみなすことができる。あるいは、それと同じことだが、系の厳密な状態に関する知識の欠如の尺度とみなしてもいい。有名な熱力学第二法則は、エントロピーは時間とともにつねに増大すると述べている。面積定理の発見は、事象地平の面積とエントロピーとの決定的な結びつきをほのめかす最初のヒントだった。

ブラックホールの特徴と熱力学法則とのアナロジーは、さらに先まで推し進めることができる。熱力学第一法則であるエネルギー保存の法則は、系のエントロピーがわずかに変化すると、その変化に比例する大きさの変化が、系のエネルギーに起こると述べている。ブランドン・カーター、ジェームズ・マクスウェル・バーディーンと私は、ブラックホールの質量変化を、事象地平の面積変化に結びつける同様の法則を見出した。比例定数には表面重力と呼ばれる量が含まれているが、その量は事象地平における重力場の強さの尺度だ。もしも事象地平の面積がエントロピーのようなものだということを受け入れるなら、表面重力は温度のようなものに見えるだろう。この類似性は、熱平衡にある物体はいたるところで温度が同じになっているように、事象地平のいたるところで表面重力が同じになるという事実により、いっそう強化される。

エントロピーと事象地平が似ているのは明らかだが、事象地平の面積をブラックホールそのもののエントロピーであることを示す方法は私たちには明らかではなかった。ブラックホールのエントロピーといっても、いったいそれは何を意味するのだろうか？　これについて決定的に重要な考え方が、一九七二年に当時プリンストン大学の大学院生だったヤコブ・ベッケンシュタインにより提起された。その考え方は次のように述べることができる。重力崩壊でブラックホールが生じるとき、そのブラックホールは、三つのパラメーター——質量、角運動量、電荷——で特徴づけられる定常状態にすみやかに落ち着く。

となると、ブラックホールの最終状態は、重力崩壊を起こした天体が物質でできていたか反物質でできていたか、まん丸だったかでこぼこだったかには関係がなさそうだ。言い換えれば、ある質量、角運動量、電荷を持つブラックホールを作るためには、崩壊した天体が、多数ある物質配位のうちのどれであってもよい。多種多様な星のどれが崩壊したとしても、見たところはまったく同じブラックホールになるだろう。実際、もしも量子効果を無視するなら、非常に小さな質量を持つ粒子が膨大に集まったものが収縮してブラックホールになるのだから、もとの物質配位の数は無限大になるだろう。だが配位の数（状態の数）は、ほんとうに無限大になれるのだろうか？

ブラックホールは外からわからない多くの情報を持つ

量子力学と言えば不確定性原理だということはよく知られている。不確定性原理は、どんな物体でも、その位置と速度の両方を正確に測定することはできないと述べている。あるものの位置を正確に測定すれば、速度があいまいになる。あるものの速度を正確に測定すれば、今度は位置があいまいになる。そのため、実際問題として、ものの位置を正確に突き止めることはできない。

運動している物体のサイズを測定するとしよう。サイズを測定するためには、運動しているその物体の両端がどこにあるかを知らなければならない。しかしそのためには、その物体の位置と速度を同時に測定しなければならないため、正確な測定はできない。それができなければ、物体のサイズはわからない。私たちにできることは、不確定性原理のせいで、もののサイズは正確にはわからないと言うことだけだ。じつは不確定性原理は、もののサイズに制限を課すのである。少し計算してみるとわかるように、ある質量を持つ物体について、それ以上小さくはなれないという最小のサイズがある。最小サイズは、質量の大きな物体では小さく、質量が小さくなるにつれてどんどん大きくなる。そうなるのは、量子力学では、物体は波とも粒子ともみなせるためだと考えられる。物体の質量が小さければ、その物体を波とみなしたときの波長は長いため、その物体は大きく広がっている。物体の質量が大きければ、それを波とみなしたときの波長は短いため、その物体は小さくまとまっている。

量子力学のこの考え方を一般相対性理論と組み合わせると、ブラックホールになれるのは、ある質量よりも大きな質量を持つ物体だけだとわかる。その最小質量はひと粒の塩ぐらいだ。

さらに、与えられた質量、角運動量、電荷を持つブラックホールを作ることのできる配位の数は、非常に大きいとはいえ、やはり有限かもしれないという結論が導かれる。ヤコブ・ベッケンシュタインの提案は、その有限な数をブラックホールのエントロピーと解釈しようというものだった。その数は、ブラックホールを作った天体が重力崩壊を起こすとき、取り返しのつかない形で失われたように見える情報量の尺度になる。

ベッケンシュタインの提案には、一見すると致命的な欠陥があるように見えた。もしもブラックホールが、事象地平の面積に比例する有限な値のエントロピーを持つなら、そのブラックホールは、表面重力に比例する、ゼロではない値の温度を持たなければならない。それが正しいなら、ブラックホールは、ゼロではない温度で熱平衡になれるということになる。しかし、古典的な考え方によれば、ブラックホールは落下してくる物体はすべて取り込むが、定義により、そこからは何も出てこられないのだから、熱平衡にはなりようがない。ブラックホールは何も放出することができず、熱も放出できないはずなのだ。

このことから、星の重力崩壊で生じた途方もなく密度の高いブラックホールという天体の性質について、ひとつのパラドックスが浮かびあがった。ある理論によれば、まったく同じ特質を持つブラックホールを作ることのできる星のタイプは無限にたくさんある。別の理論によれば、その数は有限であってよい。これは情報、つまり、宇宙に含まれるあらゆる粒子とあらゆる力は、情報を含んでいるという考えに関係する問題だ。

科学者ジョン・ホイーラーが言ったように、ブラックホールには毛がないため、内部のようすは外からはわからない。わかるのはただ、質量、電荷、回転だけだ。ということは、ブラックホールは外の世界からは知りえない多くの情報を持っているということになる。しかし、ある空間領域に詰め込める情報量には限りがある。情報はエネルギーを必要とし、エネルギーはアインシュタインの有名な方程式、$E=mc^2$から、質量を持つ。そのため、ある空間領域に情報を詰め込みすぎると、その領域は崩壊してブラックホールになり、そのブラックホールのサイズには情報量が反映される。それをたとえて言えば、図書館にどんどん本を詰め込んでいくようなものだ。しまいには本棚が本の重さに負けて、図書館は崩壊してブラックホールになるだろう。

もしもブラックホールの内部に隠されている情報の量が、そのブラックホールのサイズに依存するなら、一般原則から、そのブラックホールは当然ながら温度を持ち、高温の金属のように光を出すだろう。しかし誰もが知るように、ブラックホールからは何も出てこられないのだから、それはありえない――と、考えられていたのだ。

ミニブラックホールは発電可能か?

この問題がようやく解決されたのは、一九七四年のはじめだった。そのとき私は量子力学を使って、ブラックホールの近くにある物質のふるまいを調べていた。すると驚いたことに、ブラックホールが一定のペースで粒子を放出していることに気づいたのだ。その当時の誰もがそうだったように、私はブラックホールからは何も出てこられないという格言を受け入れていた。そのため、この困った効果を取り除こうとずいぶん努力した。ところが考えれば考えるほど、その現象は消えてくれそうになかったので、とうとう私はそれを受け入れるしかなかった。

最終的に、それが現実の物理的なプロセスだと私を納得させたのは、飛び出してくる放射のスペクトルが、まさしく熱的なものになっていたことだ。私の計算によると、ブラックホールは、表面重力に比例して質量に反比例する温度を持つ普通の高温物体であるかのように粒子と放射を生成し、放出すると予測された。そうなると、ブラックホールがゼロではない有限な温度で熱平衡になれるわけで、ブラックホールが有限のエントロピーを持つというベッケンシュタインの問題含みの提案には、何の矛盾もなくなる。

それ以来、ブラックホールが熱的放射を出すという数学的な証拠は、何人もの人たちによってさまざまなアプローチで確かめられている。ブラックホールの熱的放射を理解するひとつの方法は、次のように考えてみることだ。量子力学によると、空間はいたるところ、ペアになって現れて、しばらく別々に行動したのちに、ふたたび出会って消滅する仮想的な粒子と反粒子に満たされている。これらの粒子と反粒子が「仮想的」だと言われるのは、真の粒子とは異なり、粒子検出器で直接観測することはできないからだ。しかし、間接的になら仮想粒子の効果を測定することができる。仮想粒子の存在はラムシフトという効果（励起した水素原子が放出する光のエネルギースペクトルが、仮想粒子のためにわずかにずれる効果）によって確かめられてきた。ところで、ブラックホールが存在するとき、ペアになった仮想粒子の一方がブラックホールに落下することがあるかもしれない。残されたほうは、消滅する相手がいなくなる。その粒子または反粒子は、ペアの相手に続いてブラックホールに落下することもあるだろうが、その場を離れて、無限のかなたに逃げ出すこともあるだろう。無限のかなたでは、その粒子または反粒子は、ブラックホールから出てきたように見えるだろう。

そのプロセスを理解するもうひとつの方法は、仮想粒子のペアのうち、ブラックホールに落下したほうを（これを仮に反粒子としよう）、時間を逆向きに進む粒子とみなすことだ。するとその反粒子は、ブラックホールから出てきた粒子が時間を逆向きに進んでいるものと考えられる。その粒子は、粒子＝反粒子のペアが最初に現れた場所に到達したときに重力場に散乱されて、その結果として時間の前方に向かって進みはじめる。太陽質量程度のブラックホールが粒子を放出する出力はあまりにも小さすぎるため、飛び出してくる粒子を検出するのは難しそうだ。しかしちょっとした山ぐらいの質量を持つ、ずっと小さなミニブラックホールもあるかもしれない。ごく初期の宇宙がカオス的で不規則だったなら、ミニブラックホールが形成された可能性がある。山ひとつ分ほどの質量を持つブラックホールは、世界じゅうの電力を十分に賄《まかな》える一千万メガワットほどの出力でX線とガンマ線を放出するだろう。

とはいえ、ミニブラックホールを使って発電するのは難しいだろう。ミニブラックホールは、やすやすと床を突き抜けて地球の中心部にまで落下するため、発電所に閉じ込めてはおけそうにない。もしもそんなブラックホールが手に入ったら、それをつかまえておくほとんど唯一の方法は、地球をめぐる軌道上に置くことだろう。

その程度の質量を持つミニブラックホールが探索されたが、これまでのところはひとつも見つかっていない。これは残念なことだ。というのも、もしも見つかれば、私はノーベル賞をもらっただろうからだ。もうひとつの可能性として、高次元時空のなかでマイクロブラックホールを作れるかもしれない。いくつかの理論によれば、私たちが経験する宇宙は、十次元または十一次元空間のなかの四次元表面にすぎない。映画「インターステラー」を見れば、いくらかそのイメージがつかめるだろう。光は私たちが経験する四つの次元だけしか伝わらないので、私たちにはそれらの余剰次元を見ることはできない。しかし、重力は余剰次元にも影響を及ぼすだろうから、高次元における重力は、私たちの経験する四次元時空における重力よりもずっと強くなっているだろう。そのため余剰次元の広がり程度の小さなスケールでなら、マイクロブラックホールはできやすいはずだ。

スイスにあるＣＥＲＮの大型ハドロン衝突型加速器（ＬＨＣ）で、そんなマイクロブラックホールの生成が観察できるかもしれない。ＬＨＣは周長二十七キロメートルものリング状のトンネルで、二本の粒子ビームをトンネル内で逆向きに走らせ、ある場所で衝突させる。その衝突で、マイクロブラックホールが生じる可能性がある。マイクロブラックホールが生じれば、容易にそれとわかるパターンで粒子を放出するだろう。そんなパターンが見つかれば、私はついにノーベル賞を受賞できるかもしれない▼。

粒子が逃げ出すにつれてブラックホールは質量を失い、縮んでいく。ブラックホールが小さくなると、放出される粒子の速度は大きくなる。最終的にブラックホールは全質量を失って消滅するだろう。そのとき、ブラックホールに落下したすべての粒子と不運な宇宙飛行士たちはどうなるのだろう？　ブラックホールが消滅するとき、粒子や宇宙飛行士が元の姿で出てくることはありえない。ブラックホールから出てくる粒子は完全にランダムで、落下したものとは何の関係もなさそうだ。落下したものに関する情報は、全体としての質量と角運動量を別にすれば、すべて失われたように見える。しかし、もしも情報が失われるなら、科学に関する私たちの理解をゆるがす深刻な問題が持ち上がる。二百年以上にわたり、私たちは科学的決定論——科学法則が宇宙の進化を決定しているという考え——を信じてきた。

ブラックホールに毛は何本？

もしもブラックホールでほんとうに情報が失われるなら、ブラックホールはどんな粒子の集まりでも放出することができるから、未来は予測できなくなる。ブラックホールから、まともに映るテレビや、革で装丁されたシェイクスピア全集が飛び出してくることもあるだろうが、そんな極端なものが出てくる可能性はきわめて低い。出てくる可能性がはるかに高いのは、灼《しゃく》熱《ねっ》の金属の輝きのような熱放射だ。ブラックホールから何が出てくるか予測できないことぐらい、たいした問題ではないと思われるかもしれない。そもそも私たちの近辺には、ブラックホールなどひとつもない。だがこれは原理の問題なのだ。もしも宇宙は予測可能だという科学的決定論がブラックホールにおいて破綻するなら、ほかの状況でも破綻しているかもしれない。

▼ノーベル賞は死後に与えられることはないので、残念ながらこの望みはけっして叶わなくなってしまった。

量子ゆらぎとしての仮想ブラックホールが、真空からひょっこり現れては一群の粒子を吸収し、別の一群の粒子を放出して、ふたたび真空に消えることもありえる。さらにまずいのは、もしも決定論が破綻すれば、過去の歴史も信じられなくなることだ。歴史の本や私たちの記憶は幻想にすぎないのかもしれない。私たちが何者なのかを教えてくれるのは、過去なのだ。過去なしには、私たちはアイデンティティを失う。

そのため、ブラックホールで情報がほんとうに失われるのか、あるいは原理的には情報を回復できるのかを明らかにすることはとても重要だった。多くの科学者は、情報が失われるはずがないと考えていたが、情報が保持されるメカニズムを提案できた者は、長年にわたりひとりもいなかった。情報が失われるように見えるというこの事実は情報パラドックスとして知られ、過去四十年のあいだ科学者たちを悩ませてきたし、いまも理論物理学における最大の未解決問題のひとつでありつづけている。

近年、重力と量子力学との統一に関する新たな発見があったことで、情報パラドックスの解決法への関心がふたたび高まっている。最近のブレイクスルーの鍵になったのが、時空の対称性についての理解だ。

重力が存在せず、時空は完全に平坦だと仮定しよう。そんな宇宙はのっぺりとした砂漠に似ている。そういう場所には、二種類の対称性がある。そのひとつが並進対称性で、砂漠のある点から別の点に移動しても、何も変わったようには見えないというのがそれだ。もうひとつは回転対称性で、砂漠のどこかに立って、その場で回転をはじめたとしても、見えるものにはやはり何の変化もないというのがそれだ。これらふたつの対称性は、物質の存在しない時空、すなわち「平坦な」時空が持つ対称性だ。

この砂漠に誰かが何かを置けば、ふたつの対称性は破れる。砂漠に、山とオアシス、そして多少のサボテンがあれば、場所や向きによって砂漠は違って見えるだろう。時空についても同じことが言える。時空に物体を置けば、並進対称性と回転対称性は破れる。また、時空に物体を持ち込むことは、重力を生み出すことでもある。

ブラックホールは、重力が強いせいで時空が著しく歪み、対称性が破れていると予想される領域だ。しかしブラックホールから離れるにつれて、時空の曲率はどんどん小さくなる。ブラックホールから遠く離れれば、時空はほとんど平坦に見える。

遡って一九六〇年代のこと、ハーマン・ボンディ、A・W・ケネス・メッツナー、M・G・J・ファン・デル・バーグ、ライナー・サックスは、あらゆる物質から遠く離れた時空は、スーパートランスレーション（超並進対称性）と呼ばれる無限に多くの対称性の集まりを持つという、まさに驚くべき発見をした。その集まりに含まれる対称性には、それぞれスーパートランスレーション・チャージ（超並進対称荷）と呼ばれる保存量がともなっている。保存量とは、系が時間とともに発展しても変わらない量だ。スーパートランスレーション・チャージは、おなじみの保存量を一般化したものである。たとえば、時空が時間とともに変化しなければ、その対称性にともなってエネルギーが保存される。時空がどこでも同じに見えるなら、運動量が保存される。

これが驚くべき発見だというのは、ブラックホールから遠く離れた時空に、無限にたくさんの保存量があることになるからだ。そのおかげで、重力の物理的なプロセスについて、誰も思いもよらなかった途方もない洞察が得られた。

二〇一六年のこと、私は共同研究者のマルコム・ペリーとアンディ・ストロミンジャーとともに、そうして得られた新しい結果とそれにともなう保存量とを使って、情報パラドックスの解決策となりそうなものを見出そうとしていた。ブラックホールは、質量と電荷と角運動量という三つの特徴で区別されることはわかっている。それらは昔から知られていた、古典的な「荷《チャージ》」だ。しかしブラックホールにはそのほかに、スーパートランスレーション・チャージがある。だとすれば、ブラックホールは私たちが考えていた以上に、いろいろなものを持っている可能性がある。ブラックホールは、つるっ禿《ぱ》げだったり、毛が三本（質量、電荷、角運動量）だけだったりするのではなく、実際にはたくさんのスーパートランスレーションの毛を生やしているのかもしれない。

スーパートランスレーションの毛は、ブラックホールの内部に存在する情報の一部をエンコード（暗号化）しているのではないだろうか。すべての情報がスーパートランスレーション・チャージに含まれることはなさそうだが、いまはまだよく理解されていない、スーパーローテーション（超回転対称性）という新たな対称性にともなうチャージが、残る情報を説明してくれるかもしれない。もしもそれが正しければ、そしてブラックホールに関するすべての情報を「毛」という考え方で理解することができれば、おそらくすべての情報は、失われずにすむだろう。これらのアイディアには、ごく最近に私たちが行った計算で裏づけが得られた。ペリーとストロミンジャーと私は、大学院生のサーシャ・ヘイコーとともに、スーパーローテーション・チャージは、任意のブラックホールのすべてのエントロピーを説明することを見出した。量子力学はここでもやはり成り立ち、情報は事象地平すなわちブラックホールの表面に貯蔵されるのだ。

ブラックホールはいまも、事象地平の外側での全体としての質量、電荷、角運動量だけで特徴づけられているけれど、事象地平そのものに、ブラックホールに落下したもののことを知るために必要な情報が含まれている。これについては研究が続けられており、情報パラドックスはまだ解決されていない。しかし私は、この路線で解決できるだろうと楽観している。続報をお見逃しなく。

宇宙旅行者にとって、ブラックホールに落下するのは致命的な災難でしょうか？

まちがいなく致命的な災難です。落下したのが普通の恒星程度の質量を持つブラックホールなら、あなたは事象地平に到達する前にぶちぶちに引きちぎられ、引き伸ばされてたくさんのひものようになるでしょう。一方、落下したのが超大質量ブラックホールだったなら、事象地平を通過するときは何の問題もありませんが、特異点でぐしゃぐしゃに潰されてしまうでしょう。

6

IS TIME TRAVEL POSSIBLE ?

タイムトラベルは可能なのか?

タイムワープとスペースワープは、SFではおなじみのものだ。これらのワープ航法は、銀河系内をすばやく移動したり、タイムトラベルをしたりするために使われる。しかし今日のSFは、しばしば明日の科学的事実だ。では、タイムトラベルが実現する可能性はどれぐらいあるのだろう？

空間と時間が曲がったり歪んだりするという考えは、かなり新しい。過去二千年以上にわたり、ユークリッド幾何学の公理は自明のものとみなされていた。学校で幾何学をやらされた人は覚えているかもしれないが、ユークリッド幾何学の公理から導かれる結果のひとつに、三角形の内角の和は百八十度になるというものがある。

しかし十九世紀になって、三角形の内角の和が必ずしも百八十度にならない幾何学もありえることがわかってきた。たとえば、地球の表面を考えてみよう。地球の表面に描かれた線のなかで直線にもっとも近いのは、大円と呼ばれるものだ。大円は二点を結ぶ最短経路なので、航空会社はそれを航路にしている。さてここで、赤道と、ロンドンを通る経度ゼロの経線と、バングラデシュを通る東経九十度の経線という、地球の表面に描かれた三本の線からなる三角形を考えよう。二本の経線はそれぞれ赤道と直角（九十度）に交わる。そしてそれら経線同士は、北極で互いに直角（九十度）に交わる。こうして直角を三つ持つ三角形ができた。この三角形の内角の和は二百七十度だから、平面に描かれた三角形の内角の和である百八十度より明らかに大きい。鞍《くら》型をした面に三角形を描いたとすれば、その内角の和は百八十度よりも小さくなることがわかるだろう。

地球の表面は、二次元空間と呼ばれるものになっている。ここで「二次元」と言うのは、地球の表面上では、互いに直交するふたつの向きに沿って移動できるということだ。南北に進むことも、東西に進むこともできる。しかしもちろん、これらふたつの方向のどちらとも互いに直交する、上下という第三の方向がある。言い換えれば、地球の表面は三次元空間のなかに存在しているということだ。その三次元空間は平坦である。つまり、そこではユークリッド幾何学が成り立つ。三角形の内角の和は百八十度になる。だが、地球の表面上で動き回ることはできても、第三の方向である上下は経験できない生物がいると想像してみよう。その生物は、地球の表面の周りに広がる平坦な三次元空間があることを知らない。その生物にとって、空間とは曲がっているものだし、幾何学は非ユークリッド幾何学なのだ。

地球の表面上に生きる二次元生物を考えることができるように、私たちが暮らす三次元空間は、私たちには見えない四次元空間のなかにある四次元球の三次元表面だと考えることもできる。その球が非常に大きければ空間はほぼ平坦になり、短い距離ではユークリッド幾何学が非常に良い近似で成り立つだろう。しかし大きな距離では、ユークリッド幾何学が成り立たないことがわかるだろう。一例として、大きなボールの表面に塗装職人の一団がペンキを塗り重ねていると想像してみよう。

　ペンキの層が厚くなるにつれて、ボールの表面積は増える。もしもそのボールが平坦な三次元空間に浮かんでいるなら、ペンキはどこまでも分厚く塗り重ねていくことができ、それにつれてボールはどんどん大きくなるだろう。しかし、もしもその三次元空間が、四次元空間に浮かぶ三次元球面なら、三次元空間の体積は大きいとはいえ有限だ。ペンキをどんどん塗り重ねていくと、ボールは、いずれその空間の一方を埋め尽くすだろう。それから先、塗装職人たちは、自分たちがどんどん狭くなる領域に閉じ込められていること、そして空間はほとんどすべて、ボールとその表面に塗り重ねられたペンキで埋め尽くされたことに気づくだろう。こうして塗装職人たちは、自分たちが暮らす空間は平坦ではなく曲がっていることを知ることになる。

　この例が示しているのは、宇宙の幾何学は、古代ギリシャの人びとが考えたように、第一原理から出発して演繹《えんえき》的に導けるようなものではないということだ。むしろ空間の幾何学は、身の周りの空間を測定し、実験をすることによって見出すべきものなのだ。ところが、曲がった空間を記述するためのひとつの方法が、一八五四年にドイツの数学者ベルンハルト・リーマンによって作られたにもかかわらず、その方法は六十年ものあいだ、単なる数学の一領域にとどまっていた。その方法を使えば抽象的な曲がった空間を記述することはできるが、私たちがそのなかで暮らす物理的な空間が曲がっていると考える理由はなさそうに思われた。そんな状況が変わったのは、ようやく一九一五年になって、アインシュタインが一般相対性理論を提示したときのことだった。

光よりも速い宇宙船があれば……

一般相対性理論は、私たちの宇宙観をがらりと変えた大きな知的革命だった。それは曲がった空間だけでなく、伸び縮みする時間の理論でもあった。アインシュタインは一九〇五年に、空間と時間は互いに密接に結びついているということに気づき、そのとき生まれたのが、空間と時間を結びつける特殊相対性理論だった。あるできごとが起こった位置は、四つの数で記述することができる。四つのうちの三つは、そのできごとの起こった場所を記述する。たとえば、オックスフォード・サーカスから北に何キロメートル、東に何キロメートル、そして海抜何キロメートルといった具合だ。もっと大きなスケールになると、銀河系の緯度と経度、そして銀河中心からの距離が使われることもある。

四つめの数は、そのできごとが起こった時刻だ。こうして、空間と時間をまとめた四次元の時空というものを考えることができる。時空の各点は、空間と時間の位置を示す四つの数によって特定できる。空間と時間を合わせて時空にすることは、もしも空間と時間を一意的に切り離すことができるなら、何の面白みもない形式的な手続きにすぎない。ここで「一意的に」と言うのは、それぞれのできごとが起こった時刻と場所を定義する方法が、ひとつだけあるということだ。だがアインシュタインは、スイスの特許局に勤めていた一九〇五年に書いた驚くべき論文で、ある人があるできごとの起こった時刻と場所とみなすものは、その人の運動状態によって変わることを示した。それが意味するのは、時間と空間は互いに分かちがたく絡まり合っているということだ。

ふたりの観測者が相対運動をしていなければ、両者ができごとに割り当てる時刻は同じになるだろう。しかし相対運動の速度が大きくなればなるほど、両者が割り当てる時刻の不一致は大きくなる。では、ある観測者にとっての時間が、別の観測者にとっての過去に向かって流れるように見えるためには、両者はどれだけの速度で相対運動をしなければならないだろう?それに対する答えは、次のリメリック(戯《ざ》れ詩)に与えられている。

ワイト島に住むお嬢さん
光《ライト》よりも速く旅をする
ある日、彼女は旅に出た
相対論的なやり方で

到着したのは前の晩

というわけで、タイムトラベルをするためには、光よりも速く進む宇宙船がありさえすればよい。あいにく、アインシュタインはその同じ論文で、宇宙船の速度が光の速度に近くなればなるほど、加速に必要なロケットエンジンの出力は大きくなるということを示した。光の速度を超えて加速するためには、無限大の出力が必要になるだろう。

一九〇五年のアインシュタインの論文は、過去へのタイムトラベルの可能性を排除したように思われた。またその論文によれば、太陽以外の恒星に行くためには、耐えがたいほど時間がかかりそうだった。光より速くは進めないと言うなら、もっとも近い恒星までの往復旅行に少なくとも八年はかかるし、銀河中心までの往復旅行なら五万年ほどかかるだろう。宇宙船が光の速度に近いスピードで進めば、その宇宙船に乗った人たちにとって、銀河中心に行って帰るためには、ほんの数年しかかからないように感じられるかもしれない。だが、地球に戻ってきたとき、知人はすべて死に絶え、何千年も前に忘れ去られているとしたら、旅にかかる時間が短くなってもどれほどの慰めになるだろう。このことはSFにとってもあまりうれしい話ではなく、作家たちはこの問題を回避する方策を考えなければならなかった。

一九一五年のこと、アインシュタインは物質とエネルギーが時空を歪めると仮定すれば、重力の影響を記述できることを示した。今日その理論は、一般相対性理論として知られている。太陽の質量によって生じる時空の湾曲を観測するためには、太陽のそばを通り過ぎる光や電波の進路が、わずかに曲がるのを測定すればよい。

このため、地球と、光または電波を出している天体のあいだに太陽が挟まったときには、その天体の位置がわずかにずれて見える。そのずれは角度にして一度の千分の一程度と非常に小さく、一キロメートル離れた物体の位置が一・五センチメートルほどずれることに相当する。それでも、天体の位置のずれはきわめて高い精度で測定することができて、その結果は一般相対性理論の予測と合う。空間と時間が曲がるということについては、実験による証拠があるということだ。

時空を大きく歪めることはできるか?

太陽系はいたるところで重力場が弱いため、私たちの近くでは、時空の湾曲はごく小さなものでしかない。しかし非常に強い重力場が生じることもありえることがわかっていて、たとえばビッグバンやブラックホールではそうだ。

では、ＳＦで必要とされるハイパードライブやワームホールやタイムトラベルなどが実現できるぐらいに、時空が大きく湾曲することは可能なのだろうか？　一見すると、その可能性はありそうだ。たとえば一九四八年にクルト・ゲーデルは、アインシュタインの一般相対性理論の場の方程式の解として、すべての物質が回転している宇宙を表すものを発見した。そんな宇宙でなら、宇宙船に乗って旅立ち、出発する前の時刻に戻ってくることができる。当時ゲーデルは、アインシュタインも最晩年を過ごしていたプリンストンの高等研究所にいた。ゲーデルは、算術のようなシンプルそうな分野でさえ、すべてが真であると証明はできないということを証明したほうで有名かもしれない。だが、一般相対性理論がタイムトラベルを許すという彼の証明が、アインシュタインを動揺させたのはまちがいない。

ゲーデルの解が表す宇宙は膨張していないので、私たちが暮らすこの宇宙を表してはいないことが、いまではわかっている。また、ゲーデルの宇宙では、いわゆる宇宙定数がかなり大きな値を持つが、私たちのこの宇宙では宇宙定数はきわめて小さいと一般に考えられている。しかし、ゲーデル以降、タイムトラベルを可能にする、もう少し現実味のある解が得られている。ひも理論として知られるアプローチから得られたとくに興味深い解には、光の速度よりほんの少しだけ小さな速度で互いにすれ違う、二本の宇宙ひも《コズミック・ストリング》が含まれている。宇宙ひもは、真に驚くべき理論物理学のアイディアで、ＳＦ作家たちはまだこれを十分には理解していないように見える。宇宙ひもは、その名がほのめかすとおり、小さな断面積を持つ細長いひもに似ている。実際には、むしろゴムひもに似ていて、一千億トンの十億倍の十億倍という途方もなく大きな張力がかかっている。太陽に宇宙ひもがくっつけば、世界最速でも一秒台と言われる〝0-100《ゼロヒャク》km/h加速〟を三十分の一秒でやってのけるだろう。

宇宙ひもは荒唐《こうとう》無稽《むけい》で、まさにSF的なアイディアだと思われるかもしれないが、ビッグバン直後のごく初期の宇宙で、そんなひもが形成されたと考えるだけの科学的理由がある。宇宙ひもにかかる張力は非常に大きいため、ほとんど光の速度にまで加速しそうだ。

ゲーデルの宇宙と、高速で運動する宇宙ひもの時空に共通するのは、最初から強く湾曲してくるりと丸まっているため、過去への旅行はいつの時代も可能だったということだ。神はそれほどひどく曲がった宇宙を作ったのかもしれないが、そう考える理由はない。あらゆる証拠に照らして、宇宙はビッグバンで始まり、過去への旅行が許されるために必要なほど歪んではいない。宇宙の始まり方を変えることはできないから、タイムトラベルができるかどうかは、過去に行けるぐらい時空を大きく歪めることができるかどうかにかかっている。私はそれを真面目な研究に値する重要なテーマだと考えているが、頭がおかしいというレッテルを貼られないためには注意が必要だ。タイムトラベルを研究テーマとして助成金を申請したりすれば、即座に却下されてしまうだろう。そんなとんでもない研究に公的資金を出すと思われてもかまわないという政府機関などない。そこで申請書には、タイムトラベルと書く代わりに、「閉じた時間的曲線」といった隠語を使わなければならない。ともあれ、これはとても真面目な問題だ。一般相対性理論ではタイムトラベルは可能なのだから、私たちの宇宙でも、この理論はタイムトラベルを許すのではないだろうか？　もし許さないのなら、それはなぜだろう？

タイムトラベルと密接に関係しているのが、空間のひとつの場所から別の場所への高速移動だ。さきほど述べたようにアインシュタインは、光の速度よりも大きな速度に宇宙船を加速しようとすれば、ロケットエンジンの出力が無限大になることを示した。そのため、妥当な時間内に銀河系の端から端まで移動するためには、小さなトンネルすなわちワームホールを作ることができるぐらいに時空を歪めるしかなさそうだ。ワームホールは銀河の両端をつないで、友人たちがまだ生きているうちに往復旅行をするための近道になってくれる。そんなワームホールが、未来の文明なら作れる範囲にあるとして真面目に提案されてきた。しかし、もしも銀河の端から端まで一、二週間で行けるというなら、別のワームホールを使って、出発した時刻よりも過去に戻ってくることもできるだろう。ワームホールの両端が相対運動をしていれば、ひとつのワームホールを使って過去へ行くこともできるだろう。

ワームホールを作るためには、通常の物質とは逆向きに時空を曲げる必要がある。通常の物質は、それ自身に戻ってくるように時空を湾曲させ、そのようすはくるりと丸まった地球の表面に似ている。しかしワームホールを作るためには、それとは逆に、鞍の表面のように、それ自身から離れていくように時空を湾曲させる物質が必要になる。それと同じことは、過去に行けるように時空を曲げるすべての方法について言える——ただし、宇宙が最初から過去へのタイムトラベルを許すほど曲がっていたのなら話は別だ。というわけで、過去に行けるように時空を湾曲させるためには、負の質量と、負のエネルギー密度を持つ物質が必要になる。

エネルギーはお金に似ている。銀行口座の収支バランスが黒字なら、お金はいろいろに分配することができる。しかし、ごく最近まで信じられていた古典的な法則によれば、ちょうど銀行口座の残高以上にお金を引き出すことができないのと同様、マイナスになるまでエネルギーを引き出すことはできない。つまり古典的な法則は、タイムトラベルができるように宇宙を曲げる可能性を排除するように見えたのだ。だが、古典的法則は量子論によって打ち捨てられた。量子論は、私たちの宇宙像に起きたふたつめの革命だ（ひとつめの革命は相対性理論だ）。量子論はもっとゆるやかで、ひとつやふたつの口座ならば残高がマイナスになっても大目に見てくれる——銀行もそれぐらい融通を利かせてくれたらいいのだが。言い換えれば、量子論は、ほかの場所でエネルギー密度が正の値になっていれば、いくつかの場所でエネルギー密度が負の値になることを許してくれるのだ。

量子論でエネルギー密度が負の値になれるのは、この理論の基礎に不確定性原理があるからだ。不確定性原理によれば、粒子の位置と速度のような一組の量は、きちんと定義された値を同時に持つことができない。粒子の位置を正確に決定すればするほど速度があいまいになり、速度を正確に確定すればするほど位置があいまいになる。不確定性原理は粒子だけでなく、電磁場や重力場などの「場」にも当てはまる。そのため、私たちには何もない空っぽの空間のように見えたとしても、場は厳密にゼロになることができない。なぜなら、場が厳密にゼロならば、きちんと定義された位置もきちんと定義された速度もゼロになるからだ。それでは不確定性原理が破れたことになる。そこで、場は厳密にゼロになることはできず、ある最小限のゆらぎを持たなければならない。それがいわゆる真空のゆらぎだ。真空のゆらぎは、突如現れては打ち消し合って消滅する、粒子と反粒子のペアと解釈することができる。

そんな粒子=反粒子のペアは仮想的《バーチャル》だと言われるが、それは粒子検出器を使って直接的に測定することができないからだ。しかし、間接的な方法でなら、その影響を測定することができる。そのための方法のひとつに、カシミール効果という現象を利用するものがある。二枚の金属板をわずかな距離を隔てて平行に置いたとしよう。二枚の金属板は、仮想粒子と仮想反粒子にとって鏡のような働きをする。そのため、金属板のあいだの領域では、ちょうどパイプオルガンのパイプのように、ある共鳴振動数を持つ光の波だけしか存在できない。その結果として、二枚の金属板のあいだの領域では、どんな振動数の仮想粒子でも存在できる外の領域に比べて、真空のゆらぎ、つまり仮想粒子が少なくなる。その粒子数の違いのために、金属板の一方の面に作用する圧力と、他方の面に作用する圧力に違いが生じる。その結果として、二枚の金属板を接近させようとする小さな力が働く。その力は実際に実験で測定されている。このように、仮想粒子は実際に存在して、現実の効果を生み出しているのだ。

二枚の金属板のあいだでは、仮想粒子、すなわち真空のゆらぎが少ないため、外の領域よりもエネルギー密度は小さい。しかし金属板から遠く離れたところでは、空っぽの空間のエネルギー密度はゼロでなければならない。さもなければ、そのエネルギー密度が時空を湾曲させるため、宇宙はほぼ平坦にはならないだろう。遠方のエネルギー密度がゼロなのだから、二枚の金属板のあいだの領域のエネルギー密度は負でなければならない。

光の進路が曲がることから、時空が湾曲することに対して実験的な証拠が得られ、カシミール効果から、時空を負の向きに曲げることは可能だという実験的な確証が得られた。そうなると、科学とテクノロジーが前進して、ワームホールやスペースワープ、タイムワープが可能になれば、過去へのタイムトラベルはできることになりそうだ。もしもそうなれば、たくさんの疑問や問題が生じるだろう。たとえば、もしも将来的にタイムトラベルが可能になるのなら、なぜ未来から戻ってきた誰かが、その方法を私たちに教えてくれていないのだろうか?

仮に、私たちに教えないことには健全な理由があるとしても、人間の本性からして、哀れな未開人たる私たちにタイムトラベルの秘密を漏らす目立ちたがり屋の未来人がいないとは思えない。もちろん、未来からの訪問者はすでに来ているのだと主張する人たちもいるだろう。そういう人たちは、ＵＦＯは未来から飛来しているのだが政府はそのことを隠蔽《いんぺい》し、未来からの訪問者がもたらした科学知識を独占するために壮大な陰謀をめぐらしているのだと言うかもしれない。これに関して私に言えることは、もしも政府が何か隠しているのなら、エイリアンから有益情報を引き出すという点では、お粗末な仕事ぶりだということだけだ。私は「陰謀論より失敗論」〔「無能によって十分に説明できることに悪意を見出してはならない」という英語の格言が元になった表現〕だと思っているので、陰謀論には懐疑的なのだ。

ＵＦＯを見たという報告は相互に矛盾しており、そのすべてが地球外生物によるものではありえない。しかし、いったん目撃報告の一部がまちがいだったり幻覚だったりしたと認めるなら、未来からの訪問者や銀河系の果てから飛来したエイリアンがいると考えるよりも、目撃報告はすべてまちがいか幻覚だったと考えるほうが妥当ではないだろうか？　もしもエイリアンが地球を植民地化したいとか、私たちに何か警告したいと本気で思っているのなら、彼らはほとんど成果をあげていない。

タイムトラベルを防ぐ時間順序保護仮説とは？

未来からの訪問者がいないように見えるという事実とタイムトラベルを折り合わせるひとつ

の可能性は、タイムトラベルは未来にしかできるようにならないと考えることだ。この観点に立つなら、過去の時空については、過去に行けるほどには曲がっていないという観測結果があるので、過去の時空は固定されていると言うことになる。それに対して未来はまだ固定されていない。だから、未来の時空はタイムトラベルができるぐらい曲げることができるかもしれない。しかし、未来にしか時空を曲げることはできないのだから、現在、または現在より前の時刻には戻れないだろう。

こう考えれば、そこらじゅう未来からの訪問者であふれかえっていない理由を説明することはできるだろう。しかし、まだ説明できないパラドックスはたくさんある。仮にロケットで出発して、出発した時刻よりも前の時刻に戻ることが可能だとしよう。そうして過去に戻ったあなたは発射台の上のロケットを爆破して、そもそもタイムトラベルに出かけられないようにすることもできるだろう。このパラドックスには、過去に戻って自分が生まれる前に両親を殺してしまうものなど、いくつかのバージョンがあるけれど、本質的にはどれも同じだ。このパラドックスを解消するためには、ふたつの方法がありそうだ。

そのひとつを、「コンシステント・ヒストリー（無矛盾な歴史）」と呼ぶことにしよう。この解消策の考え方はこうだ。たとえ時空が大きく歪んでいて、過去に行くことは可能だとしても、実際にタイムトラベルをするためには、物理方程式の解として矛盾のないものを見つけなければばならない。そう考えれば、あなたがロケットに乗り込んで過去への旅に出発できるためには、あなたはすでに旅行から（現在に）戻り、発射台の上のロケットを爆破することに失敗していなければならない。ここには何も矛盾はないけれど、この描像がほのめかすところによれば、私たちは完全に決定されている。自分の心を変えることができないのだ。自由意志とはいっても、そんなものだ。

もうひとつの可能性は、私が「オルタナティブ・ヒストリー（代替歴史）」と呼んでいるものだ。これは物理学者のデイヴィッド・ドイチュが支持する考え方で、映画「バック・トゥ・ザ・フューチャー」の製作者も念頭に置いていたように見える。それによると、あるオルタナティブ・ヒストリーでは、ロケットが出発する前の時刻に未来から時間を遡ってくる者はいないし、発射台の上でロケットが爆破されることもない。だが、その旅行者が未来から時間を遡ってきたときには、旅行者は別のオルタナティブ・ヒストリーに入ることになる。そのヒストリーでは、人類は宇宙船を作るために大変な努力をするが、ロケットが発射される予定時刻の直前になって銀河の向こうから同じような宇宙船が現れ、せっかく作った宇宙船を破壊する。

デイヴィッド・ドイチュは、リチャード・ファインマンが導入した歴史総和の考え方にもとづいて、オルタナティブ・ヒストリーを支持すると主張している。ファインマンの考えは次のようなものだ。量子論では、宇宙の歴史はただひとつではない。むしろ、ありとあらゆる可能な歴史があって、それぞれの歴史は確率をともなっている。中東が長きにわたり平和であるような歴史もあるはずだが、きっとそんな歴史の確率は低いのだろう。

時空がひどく湾曲して、ロケットのような物体が過去に行けるような歴史もあるだろう。しかしそれぞれの歴史は、それだけで完結していなければならず、曲がった時空だけでなく、その内部に含まれるものすべてを記述していなければならない。そのため、ロケットが過去から戻ってきたときに、別のオルタナティブ・ヒストリーに入ることはできない。そんなわけで、ドイチュはオルタナティブ・ヒストリーを支持すると言っているけれど、私は歴史総和というファインマンのアイディアが支持しているのは、オルタナティブ・ヒストリーではなく、コンシステント・ヒストリーのほうだと考えている。

どうやら私たちが支持するのはコンシステント・ヒストリーの描像のようだ。それでも、もしも時空が大きく湾曲していて、マクロな領域にわたって過去に行くことを許すような歴史の確率がきわめて小さければ、決定論または自由意志に絡む問題は必ずしも生じるとは限らない。私はそれを、時間順序保護仮説と呼んでいる。物理法則は共謀して、マクロなスケールでのタイムトラベルを防いでいるということだ。

そこでは次のようなことが起こっているらしい。過去への旅行がほぼできるぐらいに大きく時空が湾曲しているときには、仮想粒子はほとんど、閉じた経路をたどる実粒子になることができる。仮想粒子の密度とエネルギーは、きわめて大きくなる。そして、そんなヒストリーの確率はきわめて小さくなる。結果として、歴史家にとってこの世界が安全なものになるように時間順序保護官が働いているように見えるのだ。とはいえ、空間と時間の湾曲というテーマは、まだ揺籃期《ようらんき》にある。一般相対性理論と量子論を統一する理論の候補として、私たちがもっとも期待を寄せているのは、ひも理論の統一的形態であるM理論だが、この理論によれば、時空の次元は、私たちが経験している四次元ではなく十一次元でなければならない。十一の次元のうち七つは、私たちには気づけないほど小さく丸まっている。一方、残る四つの次元はかなり平坦で、私たちが時空と呼ぶものになっている。もしもこの描像が正しければ、四つの平坦な次元を、ひどく湾曲した七つの次元と混ぜ合わせることができるかもしれない。その結果として何が起こるかは、まだわからない。けれども、もしもそんなことができるようになれば、胸躍る可能性が開かれるだろう。

以上の話をまとめておこう。現在までに得られている知識によると、大きな速度での宇宙旅行と、過去への旅行ができる可能性を除外することはできない。だが、そういう旅行をすれば論理的に大きな問題が生じるため、人が過去に戻って両親を殺したりしないよう、なんらかの時間順序保護法則があることを期待しようではないか。しかし、そんな法則があっても、SFファンはがっかりするには及ばない。希望はM理論にある。

タイムトラベラーをもてなすパーティーを開くことに、どんな意味があるのでしょうか？ 誰かやってくるでしょうか？

二〇〇九年に私は、タイムトラベルに関する映画のために、タイムトラベラーをもてなすパーティーを、所属するケンブリッジ大学ゴンヴィル・アンド・キーズ・カレッジで開きました。本物のタイムトラベラーだけが来るよう、パーティーが終わるまで招待状は送りませんでした。パーティーの日、お客さんが来ることを期待して待ったものの、結局、誰も来ませんでした。私はがっかりしたけれど、驚きはしませんでした。というのも私は、もしも一般相対性理論が正しく、エネルギー密度が正の値なら、タイムトラベルは不可能であることを示していたからです。私の仮説のひとつがまちがっていたとわかったなら、うれしかったのですが。

7

WILL WE SURVIVE ON EARTH ?

人間は地球で生きていくべきなのか?

二〇一八年一月、『原子力科学者会報』の世界終末時計の針が、深夜零時まであと二分の位置に進められた。同誌は、最初の核兵器を製造したマンハッタン計画にかかわった物理学者の何人かによって創刊された学術雑誌で、そこに掲げられた時計には、私たちの惑星が直面する破滅の危機――軍事的なものであれ、環境的なものであれ――がどれぐらい差し迫っているかを、同誌が査定した結果が表されている。

　世界終末時計には興味深い歴史がある。始まりは核の時代の幕開けからまもない一九四七年のことだった。マンハッタン計画を率いた科学者ロバート・オッペンハイマーは、その二年前の一九四五年七月に最初の核爆弾が炸裂したのち、次のように述べた。「私たちは、世界が二度と元には戻らないことを知った。笑う者もいたし泣く者もいたが、ほとんどの者は無言だった。私はヒンズー教の聖典『バカヴァッド・ギーター』の、次の一節を想起した。〝我は世界を滅亡させる者、死〔サンスクリット語ではカーラで、「死」のほかに「時間」「運命」の意味がある〕である〟」

　一九四七年に登場した世界終末時計は、最初、深夜零時の七分前に設定された。今日、この時計の針は、冷戦が始まった一九五〇年代の初期を別にすれば、これまでもっとも終末に近づいている。もちろん、世界終末時計とその針の動きは象徴的なものにすぎないが、私はほかの科学者たちから発せられたこの警告――少なくともその一部は、ドナルド・トランプが大統領に選出されたことに触発されている――を真面目に受け止めてほしいと願わずにはいられない。世界終末時計がじりじりと針を進め、時は着実に刻まれ、人類の時間は尽きつつあるという考えに現実味はあるのだろうか、それとも人騒がせな取り越し苦労にすぎないのだろうか？世界終末時計の警告は、時宜を得ているのだろうか、それとも時間の無駄なのだろうか？

私は時間に対して、きわめて個人的な興味を持っている。なんといっても、ベストセラーになった著書で、私が科学コミュニティの外の世界に知られることになったおもな原因である本のタイトルは、*A Brief History of Time*（時間小史）（邦題『ホーキング、宇宙を語る』）だ。そんなわけで、私のことを時間の専門家だと思っている人もいるかもしれない――もちろん、当節、専門家というのは必ずしもなりたいものではないようだが。第二に、二十一歳のときに医師たちから余命五年と宣告され、二〇一八年に七十六歳になった人間として、私はまた別の、もっとずっと個人的な意味で、時間のスペシャリストだ。私はあまりうれしくない意味で時の流れをひしひしと感じているし、私に許された時間は、世に言う「借りもの」だと思いながら人生の大半を過ごしてきた。

危機に直面する地球

私の記憶にあるほかのどの時期と比べても、今日の政情が不安定であることは疑問の余地がない。多くの人が、経済的にも社会的にも、置いてきぼりをくったと感じている。その結果として、政治に携わった経験が乏しく、危機に際して冷静な判断を下せるかどうかもわからないポピュリストの——あるいは少なくとも大衆に受けが良い《ポピュラーな》——政治家に目を向ける。不注意な、あるいは悪意ある力が、ハルマゲドンを呼び込む可能性が高まるのだから、世界終末時計の針が臨界点に近づくのも無理はないだろう。

　地球はあまりに多くの領域で危機に瀕《ひん》しており、私が明るい展望を持つのは難しい。良からぬことが近づく兆しはあまりにも鮮明で、しかもそんな兆しがあまりにも多い。

　第一に、私たちにとって地球は小さくなりすぎた。物質的資源は恐ろしいほどのスピードで枯渇しつつある。私たちはこの惑星に、気候変動という壊滅的な問題を押し付けた。気温の上昇、極地における氷冠の減少、森林破壊、人口過剰、病気、戦争、飢饉《ききん》、水不足、多くの動物種の絶滅。これらはみな解決可能な問題だが、これまでのところは解決されていない。

　地球温暖化は、みなで引き起こしたことだ。私たちは車をほしがり、旅行をしたがり、生活水準を向上させたいと願う。問題は、人びとがいま起こりつつあることに気づいたときには、すでに手遅れかもしれないということだ。いまや私たちは、第二次核時代〔第一次核時代は冷戦構造を最大の特徴とするのに対し、第二次核時代は核兵器のアジア諸国などへの広がりを最大の特徴とする〕の幕開けに居合わせ、前例のない気候変動の時期に生きているのだから、科学者にはやはり、人類が直面する危難について人びとに情報を提供し、指導者にアドバイスする特別な責任がある。科学者である私たちは、核兵器の危険性を理解しているし、その影響が壊滅的なものになることを知っている。また、人間活動とテクノロジーが、地球上の生命を永遠に変えてしまいかねないやり方で、気候のシステムに影響を及ぼしていることも学びつつある。私たちは世界市民として、自分たちが知りえたことを人びとに伝え、なしにすませる危険について警告を発する義務がある。もしも政府と社会がいますぐに核兵器を廃止し、気候変動がこれ以上悪化するのを食い止めなければ、大きな危難に陥ることが予想されるのだ。

それなのに当の政治家の多くは、世界が一連の重大な環境危機に直面しているときに、気候変動が人間活動によって引き起こされた現実の問題であることを否定するか、あるいは少なくとも、人間にはその進行を逆転させられるだけの力があることを否定している。

危険なのは、地球温暖化が、もはや止められない段階に入ることだ――まだそうなっていないとしてだけれど。北極と南極の氷冠が溶ければ、氷に反射されて宇宙空間に戻る太陽エネルギーの割合が減り、その結果として温度はさらに上がるだろう。気候変動のために、アマゾンやそのほかの雨林が消滅し、大気中の二酸化炭素を除去する主要な方法のひとつが失われるかもしれない。海水温度の上昇が引き金になって、大量の二酸化炭素が放出されることにもなりかねない。これらふたつの現象はどちらも温室効果を増大させ、地球温暖化をさらに悪化させるだろう。どちらの現象も、地球の気候を金星のような気候――摂氏四百六十二度と、とてつもない高温で硫酸の雲に覆われているという――に近づけるように働くかもしれない。いまのような暮らしを続けることはできないだろう。

私たちは、一九九七年に採択された国際的合意である京都議定書を超えてその先に進み、いますぐ炭素の放出量を削減しなければならない。そのためのテクノロジーはある。必要なのは政治的な意思だけなのだ。

今こそ宇宙に乗り出すとき

私たちは無知かもしれないし、思慮に欠けることも多い。これまでの歴史において似たような危機に陥ったときには、たいていはどこかに植民する場所があった。コロンブスは一四九二年に「新世界」を見つけた。しかしいま、新世界はどこにもない。そこらにユートピアがあるはずもない。地球にはもう場所がなく、行くべきところがあるとすれば、唯一ほかの惑星だけだろう。

宇宙は荒々しい場所だ。恒星は膨れ上がって惑星たちを飲み込み、超新星は致死的な放射線を放ち、ブラックホールはぶつかり合い、小惑星は秒速何百キロメートルというすさまじい速度で飛び回っている。こうした現象を見るなら、宇宙は魅力的な場所にはなりようがない。しかし、そうであればこそ、私たちはこのまま地球にとどまるのではなく、宇宙に乗り出していくべきなのだ。小惑星の衝突は、防ぎようのない事故だ。地球に最後にそんな衝突が起こったのは約六千六百万年前のことで、そのとき恐竜が絶滅したと考えられている。同じことはきっとまた起こるだろう。これはSFではない。物理法則と確率により、必ず起こることを保証されたできごとなのだ。

核戦争は、いまなお人類を脅かす最大の脅威であり、むしろ私たちが忘れかけている危険性だ。ロシアとアメリカは、お互いに対してかつてほど挑発的ではなくなっているけれど、何かの拍子に事故が起きたり、両国がいまも保有している核兵器がテロリストに奪われたりしたらどうなるだろう? また、核兵器を保有する国が増えれば、核の危険性も高まる。冷戦が終わってからでさえ、私たち全員を何度も殺せるだけの核兵器が溜め込まれて、新たな核を保有するようになった国々が、核の危うさに拍車をかけている。時がたつにつれて、核の脅威が減少することもあるかもしれないが、ほかの脅威が現れるであろうことを思えば、警戒を緩めるわけにはいかない。

もろもろ考え合わせると、次の千年間のどこかの時点で、核戦争または環境の大変動により、地球が住めない場所になるのはほぼ避けられないと私は見ている。千年は長い時間だと思うかもしれないが、地質学的な時間スケールで言えばほんの一瞬だ。独創的な種である私たちは、そのときが来る前に、不機嫌な地球のくびきを逃れる方法を見つけ出し、災厄を逃れて生き延びると期待したいし、それは可能だと私は信じている。地球上に生息するほかの何百万もの種は、私たちと同様に災いを逃れることはできないかもしれず、そのことは種としての人類の良心にかかってくるだろう。

私たちは、地球という惑星上での自分たちの未来に対して無謀で考えなしのふるまいをしていると思うのだ。いまのところは、私たちにはまだ行くべき場所がないけれど、長期的には、人類はひとつの籠、つまりひとつの惑星にすべての卵を盛っておくべきではない。私としてはただ、地球から逃げ出す方法が見つかる前に、その籠を落とさずにすむことを願うのみだ。

とはいえ、私たちは生まれながらの探究者だ。好奇心に駆り立てられて探究をする。これは私たち人間だけが持つ性質だ。人を駆り立てずにはおかないその好奇心が、地球が平坦ではないということを証明するために探検者たちを送り出したのであり、その同じ本能が、ほかの恒星系に行くにはどうすればよいかと私たちに知恵を絞らせ、その実現に向かって駆り立てる。そして、月着陸のような大いなる飛躍を遂げるたびに、私たちは人類を鼓舞し、国を超えて人びとを結びつけ、新たな発見、新たなテクノロジーの先触れをする。地球を離れようとすれば、地球規模で力を合わせなければならない——みながそれに参加するべきなのだ。一九六〇年代に宇宙旅行の時代が幕を開けたときの、あの興奮をふたたび巻き起こさなければならない。そのためのテクノロジーは、ほぼ私たちの手の届くところにある。いまこそ、太陽系以外の恒星系の探索に踏み出すべきときだ。宇宙に広がるということは、私たちを自分たち自身から救い出す唯一の方法なのかもしれない。人類は地球を離れる必要があると私は確信している。もしもここにとどまれば、私たちは絶滅の危険を冒すことになる。

「スター・トレック」の未来は来ない

というわけで、宇宙探検に対する私の希望は別にして、未来はどういったものになるだろうか、そしてそのとき科学はどんなふうに力になってくれるだろうか？

一般の人たちが思い描く未来の科学像は、「スター・トレック」のようなSFシリーズによく表れている。「スター・トレック」のプロデューサーたちは私を説得して、この番組に出演させることまでしたが、それは未来の科学が難しかったからではない〔アンドロイドであるデータ少佐、ニュートン、アインシュタインの三人とポーカーをする場面で登場〕。

番組への出演はとても楽しかったけれど、ここでその件を持ち出したのは、真面目な話をするためだ。H・G・ウェルズ以来、私たちに示されてきた未来像はほとんどすべて、本質的には静的なものだった。SFに示される社会はほとんどすべての、科学もテクノロジーも、そして政治組織も、私たちのものよりはるかに進歩している（最後にあげたものがいまよりましになるのは、それほど難しくないかもしれない）。現在からその時代までには大きな変化があったはずだし、その変化にともなって緊張と動乱もあったにちがいない。ところが、ＳＦのなかで未来として示される時代までに、科学、テクノロジー、社会組織は、ほとんど完璧なレベルに達していると想定されているのだ。

そんな未来像はおかしいと思う。科学とテクノロジーの最終的な定常状態に、はたして私たちは到達するのだろうか？　最後の氷河期から一万年の時が流れたけれど、その間のどの時期にも、知識が一定のレベルにとどまり、テクノロジーが一定不変だったことはなかった。ローマ帝国崩壊後の暗黒時代と呼びならわされている時期のように、社会全体が後退したことも何度かあったが、生命を維持し、食料を供給するテクノロジーの尺度となる世界の人口は、ペストの流行などいくつか例外的なできごとを別にして着実に増加してきた。過去二百年間には、ときに指数関数的な人口増加も見られ、世界の総人口は十億から七十六億ほどに跳ね上がった。近年では、テクノロジー発展の尺度として、人口以外に電力消費量や科学論文数などを利用することもできる。これらはほとんど指数関数的な成長を遂げている。実際、私たちの期待は非常に高まっており、ユートピアのような未来像がまだ達成されていないのは、政治家や科学者に欺《あざむ》かれているせいだと思っている人たちもいるほどだ。たとえば、映画「２００１年宇宙の旅」が私たちに見せたのは、月面の基地や木星に向かう有人宇宙船だった。

近い将来、科学とテクノロジーの発展のペースが劇的に落ちて、停止するような兆候はない。「スター・トレック」に描かれる時代——それはわずか三百五十年後のことだ——までは、まちがいなく発展は続くだろう。だが、現在の成長のペースが千年先まで続くことはありえない。もしもいまの調子で発展が続けば、二六〇〇年までには人口が増えすぎて、地球上には立錐《りっすい》の余地もなくなるだろうし、電力消費量のために地球は灼熱の世界になるだろう。現在のペースで書籍が刊行されれば、新刊本をどんどん横に並べていったとして、本の並びの最先端に遅れずついていくためには時速約百四十五キロメートルで走らなければならないだろう。もちろん、二六〇〇年までには、芸術と科学の分野でなされる新しい仕事は、本や紙という媒体ではなく、電子的な形態で発表されるだろう。それでも、もしも指数関数的な成長が続くなら、私の専門分野である理論物理学では一秒間に十本の論文が発表されることになり、それを読んでいる時間はどこにもなくなるだろう。

現在の指数関数的成長が、いつまでも続かないのは明らかだ。では、何が起こるのだろうか？ひとつの可能性は、核戦争のような壊滅的なできごとが起こって人間が自滅することだ。人類がひとり残らず死に絶えることはなくとも、映画「ターミネーター」冒頭に描かれた核戦争後のロサンゼルスのように残虐で野蛮な状態になる可能性はある。

次の千年間に何が起きるのか？

私たちは次の千年間に、科学とテクノロジーをどのように発展させていくことになるのだろう？　この問いに答えるのは非常に難しい。しかしここはひとつ、外れたという批判は覚悟のうえで、私の予測を示してみよう。これから百年については私の予測が当たる可能性もそれなりにあるだろうが、その後のことは当たるも八卦《はっけ》になりそうだ。

近代科学の始まりは、北アメリカにヨーロッパ人が定着したのとほぼ同じ頃で、その後十九世紀の末までに、古典法則として知られているものの観点からは、宇宙はほぼ理解できたと考えられていた。しかしすでに見たように、二十世紀に入って、エネルギーは量子と呼ばれる離散的な塊になっていることを示唆する実験結果が出はじめ、量子力学と呼ばれる、それまでの古典理論とは異質な理論が、マックス・プランクをはじめとする人びとによって定式化された。

量子力学は、ものごとには唯一無二の歴史がひとつだけあるのではなく、起こりうる歴史はすべて起こるということ、そしてそれらの歴史は確率をともなっているという、従来とはまったく異なる実在像を描き出した。素粒子のスケールにまで降りていくと、一個の粒子がたどりうる歴史のなかには、その粒子が光より速く進むものもあれば、過去に向かって進むものさえある。しかし、粒子が過去に向かう経路は、単なる針の上で踊る天使〔単なる空想上の存在〕ではない。実際にそんな経路が、観測される物理量に影響を及ぼすのだ。私たちには空っぽの空間に見える場所も、空間と時間のなかで閉じたループを描く粒子たちで満ちている。ループの一方の側では粒子は時間を前向きに進み、他方では時間に逆行するように進む。

厄介なのは、空間と時間のなかには無数の点があるため、粒子の経路となる閉じたループも無数にあるということだ。そして、閉じたループが無数にあるなら、それらにともなうエネルギーを足し算すると無限大になり、そのエネルギーは空間と時間をくるりと丸めて一点にしてしまうだろう。ＳＦでさえ、そこまでおかしなものは考えたことがなかった。無限大のエネルギーを扱おうとすれば、真に創造的な足し算の方法を考えなければならず、空間と時間のなかにある無数の閉じたループがきれいに打ち消し合うような理論を探して、過去二十年にわたり、理論物理学では多くの仕事がなされてきた。そんな理論が見つかったとき、私たちはついに、量子論とアインシュタインの一般相対性理論とを統一して、宇宙の基本法則となる完全な理論を作り上げることになるだろう。

次の千年間に、そんな完全な理論が見つかる可能性はどれくらいあるだろうか？　私なら可能性は高いと言うところだが、なにぶん私は楽天家だ。一九八〇年には、それから二十年のうちに完全な統一理論が発見される確率は、五分五分だろうと述べたぐらいだ。それから今日までに注目すべき進展がいくつかあったが、最終理論が見つかるのはまだまだ先のようだ。物理学の聖杯は、これからもずっと、私たちの手が届きそうで届かないところにありつづけるのだろうか? 私はそうは思わない。

二十世紀のはじめには、古典物理学のスケール(一ミリメートルの百分の一程度)という小さなスケールまで自然の仕組みが解明されていた。二十世紀のはじめの三十年間に原子物理学の研究が進展して、自然は一ミリメートルの百万分の一程度のスケールまで解明された。それ以降、原子核と高エネルギー物理学の研究が進み、そのさらに十億分の一のスケールまでが明らかになった。これから先もずっと、どんどん小さなスケールで構造が見つかるのだろうと思われるかもしれない。しかし、ロシアのマトリョーシカ人形と同じく、いずれは最小のスケールに到達するだろう。最終的には、半分に割れない最小の人形が出てくる。物理学で最小の人形に相当するのはプランク長と呼ばれる長さで、一ミリメートルの百兆分の一の十億分の一のさらに十億分の一だ。私たちはまだ、それほど小さな距離を探ることのできる加速器を作る段階には達していない。そんな小さなスケールを探れる加速器は太陽系よりも大きくなりそうだし、現在の財政状況から考えて、そんな計画が承認されるとは思えない。しかし、理論から導かれる結論のなかには、もっとずっとささやかな機械で検証できるものもある。

プランク長という小さなスケールまで実験室で探れるようにはならないだろうが、地球上で達成できるスケールよりも高いエネルギーと短い距離を探るためには、ビッグバンを研究すればよい。だが、すべてを説明する究極の理論を見出すためには、かなりの程度まで数学的な美しさと無矛盾性に頼らざるをえないだろう。

高いレベルに到達してはいるけれども本質的には定常的だという「スター・トレック」の未来像は、宇宙を支配する基本法則に関する私たちの知識については実現するかもしれない。だが、それらの基本法則を利用するということについて言えば、定常状態に到達することがあるとは思えない。究極理論は、私たちに作ることのできる系の複雑さには制限を課さないだろう。そして、次の千年間に達成されるであろうもっとも重要な進展は、その複雑さのなかにあると私は思っている。

人間が心と身体を改良する時代へ

これまでのところ私たちが手に入れたもっとも複雑な系は、私たち自身の身体だ。生命は、四十億年前に地球を覆っていた原初の海のなかで発生したようだ。生命がどんなふうに発生したのかはわからない。分子がランダムに衝突して高分子が生じ、それが自己複製するようになり、寄り集まっていっそう複雑な構造を作り出したのかもしれない。

確実にわかっているのは、きわめて複雑なＤＮＡが三十五億年前に出現したということだ。

ＤＮＡは、地球上に生息するあらゆる生命の基礎である。ＤＮＡは、一九五三年にケンブリッジ大学キャヴェンディッシュ研究所でフランシス・クリックとジェームズ・ワトソンにより発見された、螺旋階段のような二重螺旋構造を持っている。二重螺旋を構成する二本の鎖は、ちょうど螺旋階段の踏み台のように塩基対でつながれている。ＤＮＡを構成する塩基には、シトシン、グアニン、アデニン、チミンという四つの種類がある。ふたつの螺旋階段を結びつける塩基配列に、ＤＮＡ分子が生物を組み立て、自己複製をするための遺伝情報が含まれている。ＤＮＡが自分自身を複製するとき、塩基配列にエラーが起こることがある。エラーが起こると、ＤＮＡは自己複製できなくなることが多い。そんな致命的なエラーないし突然変異と呼ばれるものが引きつがれることはない。しかし、エラーないし突然変異のおかげで、そのＤＮＡが生き延びて自己複製する確率が高まることもわずかながらあるだろう。こうして、塩基配列にコードされた情報はしだいに進化して複雑になる。

突然変異による自然選択を提案したのは、一八五八年に、これもまたケンブリッジ大学にいたチャールズ・ダーウィンだった。とはいえダーウィンは、その具体的なメカニズムは知らなかった。

生物学的な進化は、基本的には、遺伝的なあらゆる可能性からなる空間内でのランダムウォークであり、その歩みはきわめて遅い。複雑さ、つまりＤＮＡにコードされている情報のビット数は、DNAに含まれる塩基数で与えられる。一ビットの情報は、イエス＝ノー式の問いに対する答えに相当する。生命誕生から二十億年ほどは、複雑さの増大速度は、百年間で一ビット程度だっただろう。DNAはしだいにペースを上げて複雑さを増大させ、過去数百万年ほどは一年間に一ビットほど増えただろう。しかしいまや、生物学的な進化というのんびりしたプロセスを待たなくとも、複雑さを増大させられる時代に入りつつある。過去一万年ほどは、人類のDNAはそれほど変わらなかった。しかし次の千年間には、DNAをまったく新しくデザインできるようになる可能性が高そうだ。もちろん、多くの人は、人間への遺伝子工学の応用は禁止すべきだと主張するだろう。しかしそう主張する人たちは、はたしてそれを阻止できるのだろうか？　植物と動物に対する遺伝子工学は、経済的な理由により許されるだろうから、いずれは人間に応用する者が出てくるにちがいない。なんらかの全体主義的な世界秩序になってでもいないかぎり、どこかで誰かが改良された人類をデザインするだろう。

改良人間の開発が、改良されていない人間に関して、大きな社会的、政治的問題を生じさせるのは明らかだ。私は人間に遺伝子工学を応用することを、良いことだからやるべきだと言っているのではない。ただ単に、望むと望まないとにかかわらず、次の千年間に行われる確率が高いと言っているのだ。これからの三百五十年間に人間がほとんど変化しないという「スター・トレック」のようなSFを私が信じないのはそのためだ。人類とそのDNAは、かなり急速に複雑さを増していくだろう。

どんどん複雑になる周囲の世界に対処しながら、宇宙旅行のような新しいことにも挑むためには、人類はなんらかの意味で心と身体の両方を改良しなければならない。そして、もしも生物学的なシステムが電子的なシステムの先を行きつづけるようにしようとするなら、人類の複雑さを増大させる必要もある。当面、計算速度に関してはコンピュータのほうが有利だが、知性に関しては、コンピュータはまだその兆候を示していない。現在のコンピュータは、とくに知的な生物とは思われていないミミズの脳より複雑でないのだから、それも驚くにはあたらないだろう。だがコンピュータは、おおよそ一年半ごとにスピードと複雑さが倍増するという一種のムーアの法則に従っている。それは永遠に続くはずのない例の指数関数的増大のひとつだし、すでに増大のペースは落ちはじめている。それでも、コンピュータが人間の脳と同程度の複雑さを持つまでは、おそらくは速いペースで改良が続けられるだろう。

コンピュータが真の知性――それがなんであれ――を持つことはないだろうと言う人たちもいる。しかし私は、非常に複雑な化学物質の働きが人類を知的にしているのなら、それと同じぐらい複雑な電子回路がコンピュータに知的なふるまいをさせることは可能だと思う。そして、もしもコンピュータが知性を持てば、おそらくは自分自身よりもはるかに複雑で高い知性を持つコンピュータをデザインできるようになるだろう。

進歩はするが定常的だというＳＦの未来像を、私が信じられないのはこのためだ。むしろ私が予想するのは、生物学的なものと電子的なものの両面で、複雑さが急速に増大する未来だ。信頼性のある予測ができる今後百年間に、以上に述べたことの多くが実現することはないだろう。だが、次の千年が終わるまでには――もしも私たちがそんな未来にまで到達できるなら――変化は根本的なものとなるだろう。

リンカーン・シュテフェンス〔アメリカのジャーナリスト。一九一九年にソ連を訪問した〕はかつてこう述べた。「私は未来を見た。そしてその未来はうまくいっている」。じつは彼はソ連のことを言ったのだが、今日の私たちは、ソ連はあまりうまくいかなかったことを知っている。それにもかかわらず、私は現在の世界秩序には未来があると信じている。ただ、その未来は現在のそれとは大きく異なったものになるだろうと思うのだ。

この惑星の未来にとって、最大の脅威になりそうなものは何でしょうか？

防ぎようのない脅威としては、小惑星の衝突ということになるでしょう。しかしこの前そんな規模の小惑星の衝突が起こったのは、およそ六千六百万年前のことです。そのときは恐竜が絶滅しました。より差し迫った危機は、制御不能になった気候変動です。海洋の水温が上昇すれば氷冠が溶け、大量の二酸化炭素が放出されるでしょう。どちらの現象も、地球の気候を金星のような気候――摂氏四百六十二度ととてつもない高温――にしかねません。

8

SHOULD WE COLONISE SPACE ?

宇宙に植民地を建設するべきなのか?

なぜ宇宙に行かなければならないのだろう？　月の石をいくつか手に入れるために莫大な努力とお金を費やすことを、どう正当化できるのだろうか？　ここ地球でもっとやるべきことがあるのでは？　なぜ宇宙に行くのかという問いに対するわかりきった答えは、「宇宙がそこにあるから」だ。私たちは宇宙に取り巻かれている。地球にとどまるのは、無人島に漂着したきり脱出を試みないようなものだろう。人間が住めそうな場所を見つけ出すために、私たちは太陽系を探査する必要がある。

今日の状況は、一四九二年以前のヨーロッパの状況に似ている。当てのない探索の旅にコロンブスを送り出すのは金の無駄遣いだという意見もあっただろう。だが、新世界が発見されたことで旧世界は大きく変化した。ビッグマックやケンタッキーフライドチキンがない世界を考えてみよう。人類が宇宙に広がれば、それよりもさらに大きな影響があるだろう。人類の未来はがらりと変わるだろうし、そもそも私たちに未来があるかどうかも、それによって決定されるかもしれない。人類が宇宙に出たからといって、地球上の差し迫った問題がひとつでも解決されることはないだろうが、問題に新たな展望《パースペクティヴ》が与えられるだろうし、私たちは内にではなく外に目を向けるようになるだろう。うまくすれば、共通の課題に対処するために、人類はひとつにまとまれるかもしれない。

それは長期的な計画になるだろう。ここでは「長期」という言葉を、数百年から数千年という意味で使っている。これから三十年で月に基地を持ち、五十年で火星に到達し、二百年で外惑星の衛星を探査できるようになるかもしれない。火星に「到達する」と言ったが、それは有人宇宙船で着陸するという意味だ。私たちはすでに火星でローバーを走らせているし、土星の衛星であるタイタンに探査機を着陸させもした。だが、もしも人類の未来を考えるなら、私たち自身が行かなければならない。

宇宙に出ることは安上がりにはいかないにせよ、そのための費用は、世界全体の財源のほんの一部にしかならないだろう。アポロの月着陸以来、NASAの予算は実質ベースではほぼ横ばいだが、アメリカのGDPに占める割合は、一九七〇年の〇・三パーセントから二〇一七年の〇・一パーセントに減っている。宇宙に進出するという真面目な努力に使われる国際的な予算を、たとえいまの二十倍に増やしたとしても、世界のGDPに占める割合は、ごくわずかだろう。

新しい惑星を探すという、不毛に終わるかもしれない研究に金を浪費するよりも、気候変動や環境汚染など、この惑星上の問題を解決するために使ったほうがよいと言う人たちもいるだろう。私は気候変動や地球温暖化と闘うことの重要性を否定するわけではないが、それをやりながら、世界のGDPの〇・二五パーセントを宇宙開発のために捻出することはできる。私たちの未来は、GDPの一パーセントの四分の一にも値しないのだろうか？

宇宙旅行の興奮と驚きを伝えたい

一九六〇年代には、宇宙開発は大きな努力に値すると考えられていた。一九六二年にはケネディ大統領が、アメリカは一九六〇年代の末までに人間を月に送ると約束した。そして一九六九年七月二十日、バズ・オルドリンとニール・アームストロングが月面に降り立った。それは人類の未来を変えるできごとだった。そのとき私は二十七歳で、ケンブリッジで研究をしていたが、その場面は見逃した。リヴァプールで開かれた特異点に関する会議に出席していて、人類が月に一歩を記したときには、カタストロフィ理論に関するルネ・トムの話を聞いていた。当時は見逃し配信などというものはなかったし、我が家にはテレビもなかったが、二歳の息子がそのようすを教えてくれた。

宇宙開発競争のおかげで科学は魅力的なものとなり、テクノロジーの進歩が加速した。今日の科学者のなかには、月着陸に触発されて科学の道に進んだという人や、人間のことや宇宙のなかでの人間の居場所のことをもっと知りたくなって科学研究を志したという人たちが大勢いる。月着陸は、地球をひとつの全体として見るよう促して、私たちの惑星、地球について新たな展望を与えた。だが一九七二年の月着陸を最後に、有人宇宙飛行の将来計画はなくなり、それとともに人びとの宇宙への関心は失われていった。それと並行して、西欧では科学全体に対する夢がしぼんでいった。なぜなら、科学はすばらしい恩恵をもたらしてくれたものの、しだいに人びとの関心をとらえはじめた社会問題を解決してはくれなかったからだ。

新しい有人飛行計画があれば、宇宙と科学全般に対する人びとの情熱を取り戻すために大いに役立つだろう。ロボット探査はずっと安上がりだし、得られる科学的情報はむしろ多いかもしれないけれど、有人飛行と同じようには、人びとのイマジネーションをとらえない。それに、ロボット探査をやったところで人類が宇宙に広まることにはならないが、まさにそれこそは長期的に目指すべきことだと思う。二〇五〇年までに月に基地を設け、二〇七〇年までに火星に人間を着陸させることを目標に掲げれば、一九六〇年代にケネディ大統領が月を目指したのと同じように宇宙計画にふたたび火をつけ、目的意識を与えることができるだろう。

二〇一七年の末にイーロン・マスクは、二〇二二年までに月面基地を作り、火星探査を実現させるというスペースX計画を発表し、トランプ大統領はNASAの焦点をふたたび探査と科学的発見に合わせるという宇宙政策指令に署名したから、もしかすると、私たちが宇宙に出られる時期はもっと早まるかもしれない。

宇宙に対する新たな興味は、科学全般に対する人びとの評価を高めることにもなるだろう。科学と科学者への評価の低さは、深刻な影響を及ぼしている。私たちの暮らす社会では、科学技術がますます大きな支配力をふるうようになっているというのに、科学を志す若者は減るばかりだ。新しい野心的な宇宙計画は若者の好奇心を呼び覚まし、宇宙物理学と宇宙科学だけでなく、より広くさまざまな科学分野に進ませるだろう。

同じことは私についても言える。私は長いあいだ宇宙旅行を夢見てきた。しかしもうだいぶ前から、それは叶わぬ夢だと思うようになっていた。地球に、そして車椅子に縛りつけられた私は、イマジネーションと理論物理学の仕事による以外に、どうすれば壮大な宇宙空間を経験できるというのだろう? 宇宙空間から、この美しい惑星を我が目で見て、さらに無限のかなたに目を向ける機会があろうとは思いもしなかった。驚くべきその眺めを自分の目で見て、宇宙飛行のスリルを実際に味わうことができるのは、一握りの幸運な宇宙飛行士たちだけだ、と。だが私は、地球の外に大胆に踏み出すことを使命とする人たちのエネルギーと情熱を計算に入れていなかった。二〇〇七年のこと、私は無重力飛行をする幸運に恵まれて、重さがない状態をはじめて経験することができた。それはわずか四分間のことだったけれど、実にすばらしい経験だった。行けることなら、どこまでも行きたかった。

そのとき私は、「もしも宇宙に出ていかなければ、人類に未来はないだろう」と言ったと報道されている。当時私はそう考えていたし、いまもそれは変わらない。そして、私がこの身をもって、宇宙旅行には誰でも参加できるのだということを示せたなら、うれしく思う。宇宙旅行の興奮と驚きを伝えるためにできることは、たくさんある。そして、できることのすべてを実際にやるかどうかは、革新的な起業家たちとともに、私のような科学者の肩にかかっていると思う。

植民の可能性——火星から太陽系外まで

だが人類は、地球を離れたところで長く生き延びることができるのだろうか？　国際宇宙ステーション（ＩＳＳ）での経験によれば、人類は地球から離れた場所で何か月も生きられる。しかし軌道上の無重力状態では、液体の取り扱いが厄介だといった実際的な問題があるだけでなく、骨が弱くなるなど、生理学的に望ましくない変化がいくつも起こる。そのため、人間が惑星や衛星で生き延びるためには、長期的な基地となるものがほしいところだ。地中を深く掘り進めば断熱効果が得られるだろうし、隕石《いんせき》や宇宙線からも守られるだろう。地球を離れた人類のコミュニティが地球に頼らず自立して存続するためには資源が必要だろうし、惑星や衛星がその資源にもなってくれるだろう。

太陽系のなかで、人間の植民地《コロニー》が作れそうなのはどこだろうか？　当然ながら、まずは月だ。月は地球から近くて行きやすい。人類はすでに月に着陸しているし、バギーを走らせてもいる。しかしその一方で、月は小さくて大気を持たず、太陽から放射される粒子線（太陽風）を逸《そ》らしてくれる磁場もない。月には液体の水はないけれど、北極と南極のクレーターには氷があるかもしれない。月のコロニーはその氷を利用して、核エネルギーまたは太陽パネルで得られる電力を使い、酸素を作ることができるだろう。月は、太陽系のそのほかの天体に向かうための基地にもなってくれるだろう。

次のターゲットはもちろん火星だ。火星は、太陽から地球までの距離を、さらに半分だけ延ばしたぐらいの位置にあるため、太陽から受け取る暖かさは、地球のざっと半分になる。かつて火星には磁場があったが、四十億年前に消失したため、太陽から飛来する粒子線を遮蔽《しゃへい》するものはない。そのため火星の大気はほとんど吹き飛ばされてしまい、大気圧は地球のわずか一パーセントしかない。しかしもっと気圧が高かった時代もあったにちがいない。というのも、火星の表面には、水のない水路や干上がった湖のようなものが見えるからだ。現在の火星の表面には液体の水は存在できない。たとえ水があったとしても、ほとんど真空という条件下では、すぐに蒸発してしまうだろう。

このことから、かつて火星には暖かくて湿った時期があり、生命が自発的に、あるいはパンスペルミアによって（つまり宇宙のどこかから生命の種が持ち込まれて）発生した可能性がある。いまの火星に生命の形跡はないけれど、もしもかつて生命が存在した証拠が見つかれば、適切な条件を満たす惑星に生命が進化する確率は、かなり高いということになるだろう。しかし、地球の生命で火星を汚染して、生命の発生という問題をややこしくしないように注意しなければならない。それと同じく、火星の生命をいっさい地球に持ち帰らないよう、厳重な注意が必要だ。私たちは火星の生命に対する抵抗力をまったく持たないだろうから、もしも持ち帰れば、地球上の生命が一掃されてしまうかもしれない。

一九六四年に打ち上げられたマリナー四号を嚆矢《こうし》として、ＮＡＳＡはいくつもの宇宙探査機を火星に送り込んできた。ＮＡＳＡは何台ものオービター（軌道衛星）で火星を観測しており、最新のものがマーズ・リコネッサンス・オービターだ。これらオービターのおかげで、深い渓谷や、太陽系でもっとも高い山があることが明らかになった。ＮＡＳＡはまた、火星の表面にいくつもの探査機を着陸させており、最新のものが二基のマーズ・ローバーだ。マーズ・ローバーは、乾ききった砂漠のような景色の画像を送ってきた。月と同じく火星の極地方にも氷があるので、それを使って水と酸素を作れるかもしれない。火星には火山活動がある。火山活動のおかげで、火星の表面には鉱物や金属があるだろうから、コロニーはそれを資源にできるかもしれない。

太陽系では、月と火星がもっともスペースコロニーに適した位置にある。水星と金星は熱すぎるし、木星と土星は、固体の表面を持たないガスの巨大惑星だ。火星にはいくつか衛星があるけれど、どれも非常に小さく、火星そのものより良いことは何もない。木星と土星の衛星のなかには有望なものがあるかもしれない。木星の衛星のひとつであるエウロパは、表面が氷結している。だが、その氷の下には液体の水が存在して、生命を進化させた可能性がある。それを知るためにはどうすればいいだろう？　エウロパに着陸して、凍った表面に穴を開けなければならないのだろうか？

　土星の衛星のひとつであるタイタンは、月よりもサイズが大きく質量もあり、濃い大気を持っている。ＮＡＳＡと欧州宇宙機関のカッシーニ＝ホイヘンス・ミッションは、タイタンに探査機を着陸させて、地表の映像を送ってきた。だが、タイタンは太陽から遠いため非常に温度が低く、私としては、液体メタンの湖のそばで暮らせる気がしない。

　では、思いきって太陽系の外に出てみてはどうだろう？　観測によれば、恒星の周囲にはかなりの割合で惑星が存在するようだ。これまでのところでは、木星や土星のような大きな惑星しか検出できていないけれど、もっと小さくて地球に似た惑星もあると考えるのが合理的だろう。そんな小さな惑星のなかには、恒星からの距離が、表面に液体の水が存在するのにちょうどよいゴルディロックスゾーン〔イギリスの童話『ゴルディロックスと三匹の熊』の主人公にちなむ。ハビタブルゾーンとも呼ばれる〕に入るものもあるだろう。地球から三十光年の範囲には、千個ほどの恒星が存在する。そのうちの一パーセントがゴルディロックスゾーンに地球サイズの惑星を持つなら、新世界の候補は十個あることになる。

　たとえば、プロキシマｂを考えよう。これは地球からもっとも近い太陽系外惑星だが、それでも四・五光年のかなたにあり、ケンタウロス座アルファ星系《アルファ・ケンタウリ》のうちプロキシマ・ケンタウリの軌道上にあり、最近の研究によれば地球といくらか似ているようだ。

これら新世界候補の惑星に旅行することは今日のテクノロジーでは無理だが、イマジネーションを使えば、恒星間旅行を長期目標――二百年から五百年後ぐらい――にすることはできる。ロケットを飛ばすときの速度は、ふたつの要素で決まる。ひとつは、ロケットの排気速度で、もうひとつは加速するときにロケットが失う質量の割合だ。これまで用いられてきた化学ロケットでは、排気速度は毎秒三キロメートルほどになる。ＮＡＳＡによれば、化学ロケットで火星に行くためには、二百六十日プラスマイナス十日ほどかかりそうだが、わずか百三十日で行けると予想するＮＡＳＡの科学者もいる。しかし、ほかの恒星系に行こうとすれば、化学ロケットでは、もっとも近い恒星系でも三百万年もかかってしまう。速度を上げるためには、化学ロケットよりもはるかに大きな排気速度、光そのものの速度が必要になるだろう。ロケットの後部から強力な光線を出せば、宇宙船を前方に進められる。核融合を利用すれば、宇宙船の質量の一パーセントをエネルギーに転換できて、光速の十分の一の速度にまで宇宙船を加速できるだろう。それより大きな速度にまで加速したければ、物質と反物質の対消滅か、あるいは何かまったく新しいタイプのエネルギーが必要になる。

じつは、アルファ・ケンタウリはあまりにも遠すぎて、乗り込んだ人間の寿命が尽きないうちに到着するためには、銀河系の全恒星の質量ほどもの燃料を積み込まなければならない。言い換えれば、現在のテクノロジーでは、恒星間旅行はとうてい実現できそうにないということだ。アルファ・ケンタウリが、休暇を楽しむための旅行の目的地になることはけっしてないだろう。

しかしそんな制約も、イマジネーションと独創性で克服できるかもしれない。二〇一六年に、私は投資家のユーリ・ミルナーと力を合わせ、恒星間旅行を実現させるための長期的な研究開発プログラム、「ブレイクスルー・スターショット」を発足させた。私たちのもくろみがうまくいけば、いま生きている人たちが死なないうちに、アルファ・ケンタウリに探査機を送ることができるだろう。この話題は、すぐ後であらためて取り上げよう。

新しい宇宙時代のための三つのミッション

恒星間旅行はどこから始めればいいだろう？　これまでの探査は、近いところに限られていた。私たちが送り出したもっとも果敢な探査機ボイジャーは、四十年かけて太陽系の外に出ていった。ボイジャーの速度は秒速約十八キロメートルだから、太陽から四・三七光年、約四十兆キロメートルのかなたにあるアルファ・ケンタウリに着くまでには七万年ほどかかるだろう。今日アルファ・ケンタウリに生物がいるとして、幸せなことに、その生物はドナルド・トランプの台頭をまだ知らない。

新たな宇宙時代を迎えているのは明らかだ。最初の民間宇宙飛行士は、新しい宇宙時代の開拓者となるだろう。その宇宙飛行には、とてつもなく金がかかるだろうが、時がたつにつれて、地球に住む人たちの多くが宇宙に行けるようになるのが私の願いだ。多くの人が宇宙に出かけるようになれば、私たちの住処《すみか》である地球と、その地球の舵《かじ》取り役としての私たちの責務に新たな意味が生まれるだろう。そうなれば、宇宙のなかでの私たちの居場所と私たちの未来を、よりはっきりと意識することになるだろう。そして宇宙こそは、私たちの究極の目的地だと私は信じている。

「ブレイクスルー・スターショット」は、宇宙に植民地を建設することができるかどうかを探り、その可能性を評価するという観点に立って、人間が実際に外宇宙に進出するはじめての機会となるものだ。このミッションの目的は、ミニチュア化された宇宙船「ナノクラフト」、光推進、そして位相同期レーザーという、三つの概念の実現可能性を探ることにある。

わずか数センチメートルという小さなサイズで完全に機能する宇宙探査機「スターチップ」に、「ライトセイル」（光帆《こうはん》）を取りつけることになるだろう。ライトセイルは、メタマテリアル〔天然の物質にはないふるまいをする人工物質〕でできていて、重量はほんの数グラムだ。千個のスターチップとライトセイル、ナノクラフトが宇宙に送り出され、軌道に乗ることになるだろう。地球上では、約一キロメートルにわたってずらりと並べられたたくさんのレーザーが連結されて、きわめて強力な一本の光線を作る。そうして作られたレーザービームは大気を突き抜け、十ギガワットの出力で、宇宙空間のライトセイルに照射されるだろう。

このイノベーションの背後には、アインシュタインが十六歳のときに光線に乗ることを夢見たように、光線に乗るナノクラフトというアイディアがある。ナノクラフトは、光の速度で進むわけにはいかないが、その五分の一、つまり時速二億キロメートルほどで進むことになる。そんなナノクラフトは、一時間もかからず火星に到着できるし、数日で冥王星を通過し、一週間もせずにボイジャーを追い越して、二十年ほどでアルファ・ケンタウリにたどり着くことができる。その後、アルファ・ケンタウリで発見されたすべての惑星の画像をもとに磁場や有機分子の有無を調べ、それらのデータをレーザービームに乗せて地球に送り返す。そのかすかな信号は、レーザービームを発射するために使った、ずらりと並んだ円盤型のアンテナで受信される。ビームの復路には四年ほどかかるだろう。

この計画の重要なポイントは、「スターチップ」の経路に、主星であるアルファ・ケンタウリのハビタブルゾーンにある地球型の惑星プロキシマｂの接近観測《フライバイ》が含まれるかもしれないことだ。二〇一七年には、ブレイクスルーとヨーロッパ南天文台が協力して、アルファ・ケンタウリのハビタブルゾーンにある惑星をさらに探すことになった。

「ブレイクスルー・スターショット」には、いくつか副次的な目標がある。太陽系を探査して、地球の軌道に交わる小惑星を検出することにもなるだろう。また、ドイツの物理学者クラウディウス・グロスは、このテクノロジーを利用することで、本来ならば短期間しかハビタブルゾーンに入らないはずの太陽系外惑星に、単細胞生物の長期的バイオスフィア（人工的な生命圏）を打ち立てることができるだろうと言っている。

こうした話はどれも実現の可能性があるけれど、克服すべき大きな課題もある。一ギガワットのレーザービームを照射したところで、及ぼせる力はせいぜい数ニュートンだ。だがナノクラフトは、質量がたった数グラムしかないため、ビーム出力の小ささを埋め合わせることができる。それほど軽いナノクラフトを作るためには、とてつもなく大きな工学的な課題を乗り越えなければならない。ナノクラフトは、猛烈な加速、極端な低温、真空という厳しい条件に加えて、宇宙を飛び交う陽子線にさらされる。宇宙のゴミとなった破片との衝突にも耐えなければならない。また、地球大気には乱気流があるせいで、ずらりと並んだレーザービームの焦点をぴたりと合わせて、数十ギガワットの一本のビームを作り、さらにそのビームをソーラーセイルに命中させなければならない。何百ものレーザービームを大気中に発射して、一本のビームにすることはできるのだろうか？　そしてそのビームを、正しい方向に向けることはできるだろうか？　それができたとして、すさまじく低温の宇宙空間にナノクラフトを送り出し、四光年の距離を隔てて信号を送り返せるようにするためには、二十年ものあいだ故障しないようにしなければならない。

しかしこれらはみな工学的な問題であり、エンジニアが取り組む課題はいずれ解決される傾向がある。技術が成熟していくなかで、ほかにも胸躍るミッションを考えることもできる。それほど出力の大きくないレーザーアレイでも、太陽系の外惑星や、太陽系外の恒星系、星間空間への旅にかかる時間を大幅に短縮できる可能性もある。

もちろん、たとえこの試みを有人飛行船のレベルにスケールアップできたとしても、有人の恒星間航行にはならない。なぜなら、このタイプの宇宙船は停止することができないからだ。それでもこの計画は、人類の文化が恒星間の空間に出ていく最初の試みになるだろう。それは私たちが、ついに銀河系に手を伸ばす瞬間だ。そして、もしも「ブレイクスルー・スターショット」が一番近い恒星をめぐるハビタブルな惑星の映像を送ってよこせば、それは未来の人類にとって途方もない意味を持つだろう。

この章のまとめとして、ふたたびアインシュタインに戻ろう。アルファ・ケンタウリの恒星系に惑星が見つかったとして、光速の五分の一の速度で突っ走るカメラがとらえたその画像は、特殊相対性理論の効果でわずかに歪んでいるはずだ。その歪みが見られるほど大きな速度で宇宙船が飛ぶのは、それが最初になるだろう。じつはこのミッションにとって、アインシュタインの理論はきわめて重要な意味を持つ。もしもこの理論がなかったらレーザーはなかったし、四十兆キロメートルのかなたを光速の五分の一の速度で飛ぶ宇宙船を誘導して、画像を得て、データを送信することもできないだろう。

光線に乗ることを夢見る十六歳の少年と、光線に乗ってほかの恒星に行くという計画の実現を目指す私たちの夢が、一本の道でつながっているのがわかるだろうか。私たちはいま、新しい時代の戸口に立っている。ほかの惑星に人間を送り込むことは、もはやSFではない。それは科学的事実になりうることなのだ。人類はひとつの種《しゅ》として、二百万年ほども存在してきた。一万年前に文明が始まって以来、進化は着実にスピードを上げている。もしも人類がこれから先、さらに百万年ほど存続するなら、私たちの未来は、まだ誰も行ったことのない場所に大胆に行くかどうかにかかっている。

私は最善の結果を期待している。そう願わずにはいられない。ほかに道はないのだから。

民間宇宙旅行の時代が到来しつつあります。それは私たちにとってどんな意味があるのでしょうか？

私は宇宙旅行を楽しみにしていて、最初にチケットを買う人間のひとりになるでしょう。次の百年間で、太陽系のどこにでも行けるようになると思いますが、ただし火星よりも遠くの惑星には行けないかもしれません。恒星への旅ができるようになるまでには、少し時間がかかりそうです。それでも五百年後には、人類はいくつか近隣の恒星を訪れているでしょう。その旅行は、「スター・トレック」のようなものにはならないでしょう。ワープ速度で航行できるようにはならないと思います。そのため、往復には少なくとも十年、おそらくはもっとずっと長くかかるでしょう。

9

WILL ARTIFICIAL INTELLIGENCE OUTSMART US ?

人工知能は人間より賢くなるのか?

知性は、人間にとってとても重要な意味を持っている。文明の恵みと言えるものはすべて、人間の知性が生み出したものだ。

DNAは、生命の青写真を世代から世代へと伝えていく。より複雑な生物が現れては、どう行動すべきかを理解したうえで、たとえば筋肉などに情報を伝えて世界に対して働きかけるために、目や耳などの感覚器から取り入れた情報を脳などの器官で処理してきた。百三十八億年という宇宙の歴史のなかのある時点で、何か途方もないことが起こった。その情報処理がとても知的になって、生物が意識を持ったのだ。宇宙はそのとき目覚め、自らの存在に気づいた。私たち自身は星屑《ほしくず》にすぎないけれど、自分たちの住処であるこの宇宙についてこれほど詳細な知識を持つようになったことを、私はひとつの勝利だと考えている。

ミミズの脳の働きと、コンピュータの計算の仕方とのあいだに重要な違いはないと私は考えている。また、進化ということから考えて、ミミズの脳と人間の脳とのあいだに定性的、つまり質的な違いはあるはずがないとも信じている。原理的には、コンピュータは人類の知性を真似《エミュレート》できるし、人間の知性よりも優れたものさえエミュレートできるということだ。祖先よりも高い知能を獲得する場合があるのは明らかだろう。私たちはサルのような祖先よりも賢く進化したわけだし、アインシュタインは両親よりも頭が良かったのだから。

もしもコンピュータが今後もムーアの法則に従い、一年半ごとに計算速度と記憶容量が倍増するなら、今後百年間のどこかの時点で、コンピュータは人間を追い越すことになりそうだ。なんらかの人工知能（ＡＩ）が、人間よりも上手にＡＩを設計し、人間の力を借りずに自らを再帰的に改良できるようになれば、人間がカタツムリよりも頭が良いというレベルを超えて、機械が私たちよりも賢くなる「知能の爆発」に直面するかもしれない。それが起こったときに、コンピュータの目標と私たちのそれとが食い違わないよう、万全を尽くす必要がある。高度に知的な機械など、ＳＦにすぎないと言ってみたくなるけれど、そういう態度はまちがいだろうし、もしかすると私たちが犯す最悪の過ちになるかもしれない。

過去二十年ほどにわたり、ＡＩ研究は知的なエージェントを作ること、つまり特定の環境下で認識し、行動するシステムを組み立てるという課題に的を絞っていた。この文脈における知能は、統計的、経済的な合理性に結びついている——ひらたく言えば、良い判断を下し、計画を立て、推論をする能力が知能だということだ。そうした近年の研究のおかげで、ＡＩ研究と、機械学習、統計、制御理論、神経科学《ニューロサイエンス》といった分野の統合が大きく進展して、異分野間の交流が活発になってきた。理論的な枠組みが共有され、データや処理能力が利用されやすくなったおかげで、音声認識、画像認識、自律走行車、脚式移動、質問応答システムなど、さまざまなコンポーネント・タスクにおいて注目すべき成果があがった。

こうした領域での進展が、実験室での研究から経済的価値のあるテクノロジーへと広がるにつれて好循環が促され、ほんの少し性能が上がっただけで多額の金に値するようになり、さらなる資金が研究に投入される。ＡＩ研究は着実に進展しており、社会への影響はますます増大するだろうというのが、いまや幅広いコンセンサスになっている。ＡＩの潜在的恩恵はとてつもなく大きい。ＡＩの能力が、ＡＩのもたらすツールで拡大されたら、どれだけのことができるかは想像もつかないほどだ。病気や貧困も撲滅できるかもしれない。ＡＩの潜在的可能性は非常に大きいのだから、私たちはその恩恵を享受する一方で、想定外の危険を回避する方法を研究することが重要だ。ＡＩを作ることに成功すれば、それは人間の歴史における最大のできごとになるだろう。

ＡＩがもたらすほんとうの危険

不幸にして、リスクを回避する方法を私たちが身につけなければ、それは最大かつ最後のできごとになるかもしれない。ツールキットとして使うなら、ＡＩは私たちの既存の知能を補佐し、科学と社会のあらゆる領域で新たな展望を開くことができるだろう。だが、ＡＩは危険も招くだろう。すでに開発されている原始的な人工知能は、非常に役に立つことがわかっている。だが、人間に匹敵する、あるいは人間を超えるようなＡＩができたらどうなるだろう。気がかりなのは、ＡＩの性能が上がって、加速的に自らを再設計できるようになることだ。ゆっくりした生物学的進化の速度に制約された人類は、そんなＡＩに太刀打ちできず、ＡＩに取って代わられるだろう。そして将来的には、ＡＩは自分自身の意思を持つようになり、私たちの意思と対立するようになるだろう。人間は、今後もかなり長期にわたってテクノロジーの発展速度を支配し、世界が直面する問題の多くを解決するＡＩの潜在能力が現実のものになると、信じる人たちもいる。世間では私は、人類という種の未来について楽天家だとされているが、私自身はそうとも思えない。

たとえば短期的には、世界じゅうの軍部が、ターゲットを自ら選んで抹殺する自律兵器システムの軍拡競争に乗り出そうとしている。国連ではそんな兵器を禁止するための条約が議論されているけれど、自律兵器を唱道する人たちは往々にして、もっとも重要な問いを発することを忘れている。軍拡競争の終着点はどこなのか、それは人類にとって望ましいことなのか？安価なＡＩ兵器が明日のカラシニコフになって、闇取引で犯罪者やテロリストに売られることを、私たちはほんとうに望んでいるのだろうか？　どんどん高度になるＡＩシステムを、長期的に支配できるかどうかも定かではないことを思えば、ＡＩを武装させ、ＡＩに私たちの守備を任せてしまってよいのだろうか？　二〇一〇年にはコンピュータ化された証券取引システムが、ほんの数分のうちに巨額の市場下落を引き起こす、いわゆるフラッシュクラッシュが起きた。コンピュータが引き金を引いたこの大暴落に相当することが、防衛の領域で起こったら？自律兵器の軍拡競争をストップさせるなら、最善のタイミングはいまだ。

中期的には、ＡＩは私たちの仕事を自動化して、大いなる繁栄と平等をもたらすかもしれない。さらに先を見れば、達成できることに根本的な限界はない。人間の脳内における粒子配置よりも高度な計算ができるように粒子が配置されることを妨げる物理法則はないということだ。なんらかの爆発的な遷移が起こる可能性もある。とはいえ、その結果は映画のような展開にはならないかもしれないが。

数学者のアーヴィング・グッドは、一九六五年に、人間を超える知性を持つ機械は、自らの設計を反復的に改良できることに気がついた。ＳＦ作家のヴァーナー・ヴィンジが言うところの技術的特異点《シンギュラリティ》だ。そんなテクノロジーが、金融市場で賢く立ちまわり、人間の研究者よりも優れた発明をし、人間の指導者よりも人心操作に長けていて、私たちには理解することさえできない兵器を使って人間を征服するというのも想像できないことではない。ＡＩの短期的な影響は、誰がそれをコントロールするかにかかっており、長期的な影響は、ＡＩはそもそもコントロール可能かどうかにかかっている。

ひとことで言えば、スーパーインテリジェントな（超知能を持つ）ＡＩの到来は、人類に起こる最善のできごとになるか、または最悪のできごとになるだろうということだ。ＡＩのほんとうの危険性は、それに悪意があるかどうかにではなく能力の高さにある。スーパーインテリジェントなＡＩは、目標達成能力はすばらしく高いけれど、ＡＩの目標が私たちの目標と合わなければ、私たちにとってはまずいことになる。あなたが悪意からアリを踏みつぶすような邪悪な人間ではなかったとしても、水力発電のグリーンエネルギー・プロジェクトの責任者だったら、そしてダム建設のために水に沈む地域に蟻塚《ありづか》があったとしたら、アリたちにとっては気の毒なことになるだろう。人類を、このアリの立場に置かないようにしよう。計画は先を見据えて立てなければならない。もしも私たちよりも優れた地球外生命の文明が、「数十年後にそちらに到着する」というテキストメッセージを送ってきたとしたら、「了解、到着したら連絡してくれ。電気をつけておくから」と返信するだろうか？　おそらくそうはしないはずだ。ＡＩについては、ほぼそんな事態になっている。この問題に関する真面目な研究は、小規模な非営利の研究所を別にすれば、まだほとんど行われていない。

しかし幸いなことに、この状況は変わりつつある。テクノロジーのパイオニアである、ビル・ゲイツ、スティーヴ・ウォズニアック、イーロン・マスクは私の懸念に共鳴してくれたし、ＡＩ関連コミュニティには、リスク評価と社会的影響に対して意識的になるという健全な文化が根づきつつある。二〇一五年一月に私は、イーロン・マスクと大勢のＡＩ専門家たちとともに、ＡＩが社会に及ぼす影響について本格的な研究を求める公開書簡に署名した。イーロン・マスクはこれまでにも、人間を超える人工知能は、予想もつかない恩恵をもたらす可能性がある一方で、不用意な使い方をすれば、人類という種に良からぬ影響を及ぼすだろうと警鐘を鳴らしてきた。

マスクと私は、「生命の未来研究所」という、人類の存亡にかかわるリスクを軽減するために仕事をしている組織の諮問委員会のメンバーに連なっている。私たちが署名した公開書簡は、AIの恩恵は享受しつつ、起こりうる問題を予防する方法について具体的な研究をしようと呼びかけるとともに、AIの研究開発に携わる人たちに対しては、AIの安全性にもっと注意を払うよう求めている。また、政策立案者と一般大衆には情報を提供しつつ、人騒がせな警報を発しないよう注意しなければならないとの意図も込められている。AI研究者たちは、こうした懸念と倫理的問題を真剣に考えているということを、すべての人に知ってもらうことは非常に重要だというのが私たちの考えだ。たとえば、AIは病気と貧困を撲滅してくれる可能性もあるけれど、研究者は制御可能なAIを作らなければならない。

私は二〇一六年十月に、AI研究の急速な進展が提起する未解決問題のうちのいくつかに取り組むための、「知能の未来のためのリヴァーヒュームセンター」をケンブリッジに開設した。これは、私たちの文明と、人類という種の未来にとって決定的に重要な知能の未来について研究することに捧げられた学際的な研究所である。私たちは歴史を学ぶことに多くの時間を費やしているけれど、現実を直視するなら、歴史のほとんどは愚かさの歴史だ。だとすれば、過去の愚かさの代わりに、賢さ《インテリジェンス》の未来を研究しようというのは、歓迎すべき変化ではないだろうか。ＡＩに潜在的な危険性があることはわかっているけれど、新たなテクノロジー革命がもたらしたＡＩという道具をうまく使いこなせば、産業化のために自然が被ったダメージの一部を修復することさえできるかもしれない。

ＡＩ研究の進展に関連して最近起きたことのひとつに、欧州議会がロボットとＡＩの製造を制限する、一連の規制案の作成を求めたことがある。少々驚かされたのは、この草案には、とくに有能で先進的なＡＩに対して権利と責任を保障する電子人格についての法案が含まれていることだ。欧州議会のスポークスマンは、日常の暮らしのなかで、ロボットがしだいに多くの領域に進出するようになるにつれ、ロボットは人間に奉仕するものであり、今後もそうでありつづけるようにするために万全の手を打たなければならないと述べた。

欧州議会に提出された報告書は、世界は新たな産業ロボット革命の戸口に立っていると宣言した。その同じ報告書のなかで、ロボットに電子人格としての法的権利を与えるかどうかも検討されている。電子人格は、社団法人の法的定義に相当するものだ。しかしその報告書は、ＡＩの研究者および設計者はいついかなるときも、すべてのロボット設計において燃料または電源を遮断するためのキルスイッチを実装しなければならないと力説している。

スタンリー・キューブリックの映画「２００１年宇宙の旅」のなかで、機能不全を起こしたロボティック・コンピュータ、ハルとともに宇宙船に乗り込んだ科学者たちにとって、キルスイッチは役に立たなかった。だが、この映画はフィクションだ。私たちは、現実の事態に向き合っている。多国籍法律事務所オズボーン・クラークのコンサルタントを務めるローナ・ブラゼルは、クジラやゴリラに対して人格を与えていないのだから、ロボットに人格を与えるという案に飛びつく必要はないと述べた。それでも懸念はある。その報告書は、これから数十年ほどのあいだにＡＩが人間の知的能力を超え、人間とロボットの関係に挑んでくる可能性があると認めている。

ＡＩ時代の人間の役割

二〇二五年までには、地球上には人口一千万人を超える巨大都市《メガシティ》が三十ほど存在するようになるだろう。その住人たち全員が、商品とサービスがほしいときに提供されることを望むなら、テクノロジーは、インスタントコマースへの強い要求に応えるために役立つだろうか？　ロボットはオンライン取引を確実にスピードアップしてくれるだろう。だが、ショッピングのあり方に革命を起こすためには、あらゆる注文に対して即日配達できるほど、ロボットがすばやく行動する必要がある。

その場にいなくとも、世界と相互作用できる機会は急速に増加している。ご想像のように、私はそれを良いことだと思っている。なにしろ都市生活は誰にとっても忙しい。一緒に仕事をこなしてくれる、もうひとりの自分がいたらと、あなたはこれまで何度思っただろうか？　自分の身代わりロボットを作るというのは欲張りな夢だけれど、最新のテクノロジーを見るかぎり、一見したときに思うほど荒唐無稽な考えではないのかもしれない。

私が若かった頃、テクノロジーの進歩が指し示す未来は、みながもっと余暇を楽しむ世界だった。しかし現実には、テクノロジーが発展するにつれてできることが増え、人はどんどん忙しくなった。都市にはすでに私たちの能力を拡張してくれる機械があふれているけれど、もしも自分が同時にふたつの場所にいることができたらどうだろう？　自動化された音声は、電話や公共のアナウンスですっかりおなじみになっている。発明家のダニエル・クラフトは、外見を複製する方法を研究中だ。問題は、アバターがどれほどの説得力を持ちうるかだ。

大規模公開オンライン講座（ＭＯＯＣｓ）とエンタテインメントでは、対話型の個別指導が役に立ちそうだ。歳をとらず、普通ならできないような演技のできるデジタルな俳優が登場したら、すばらしいのではないだろうか。未来のアイドルは、生身の人間ではなくなるかもしれない。

デジタルワールドにどうコネクトするかは、将来的に何がどれだけできるようになるかを決める鍵になるだろう。最大限にコンピュータ化された都市の、最大限にコンピュータ化された家庭には、直感的にやすやすと操作できる道具類が装備されるだろう。

タイプライターが発明されたとき、機械との相互作用の仕方がそれまでの縛りから自由になった。それから約百五十年後には、タッチスクリーンが、デジタルワールドとのコミュニケーションに新たな扉を開いた。最近のＡＩ研究のランドマークである自動運転車や囲碁でコンピュータが人間に勝利したことなどは、これから起こることの前触れにすぎない。ＡＩテクノロジーには巨額の資金が投入されており、私たちの生活のかなりの部分は、すでにこのテクノロジーによって形づくられている。これから数十年のうちに、ＡＩは社会のあらゆる面に浸透し、医療、仕事、教育、科学を含む多くの領域で私たちを知能面で支え、アドバイスをくれるようになるだろう。すでに成し遂げられたことは、これからの数十年間に起こることに比べれば色褪《あ》せて見えるだろう。私たちの頭脳がＡＩで増幅されたら何ができるようになるかは、予測もつかないほどだ。

この新しいテクノロジー革命のさまざまなツールを使えば、人間はより良い暮らしができるようになるだろう。たとえば、脊椎損傷の麻痺を取るためのＡＩが開発されつつある。シリコンチップ・インプラントと、脳と身体をつなぐワイヤレス・エレクトロニック・インターフェースを作れば、そのテクノロジーのおかげで、頭のなかで考えるだけで、自分の身体の動きを制御できるようになるだろう。

コミュニケーションの未来は、脳とコンピュータのインターフェースにあると私は信じている。インターフェースには、頭蓋骨の上に電極をつけるものと、頭蓋のなかに埋め込むインプラント方式のふたつの方法がある。第一のものは、霜のついたガラス越しにものを見るような感じになるだろう。二番目の方法のほうがインターフェースとしては優れているが、感染のリスクがある。もしも人間の脳をインターネットに接続することができれば、ウィキペディア全体がその人のリソースになるだろう。

人間と装置、そして情報が相互にコネクトされるようになるにつれて、世界が変化する速度はどんどん上がってきた。計算力は増大し、量子計算はすみやかに実現に向かっている。量子計算は、計算速度を指数関数的にスピードアップさせることで、人工知能に革命を起こすだろう。また量子計算が実現すれば、暗号化の方法にも進展があるだろう。

量子コンピュータは、人類の生物学的な面まで含めて、いっさいを変えるだろう。DNAを正確に編集する、クリスパーと呼ばれるテクニックがすでに存在している。これは細菌の防御システムにもとづくゲノム編集の技術で、ターゲットを正確に定め、遺伝コードを編集することができる。遺伝子操作の最良の意図は、遺伝子を修正して、起こってしまった突然変異を元に戻すことにより、科学者が遺伝病を治療できるようにすることだろう。だがＤＮＡの操作に関しては、それほど気高いとは言えないさまざまな動機がある。遺伝子工学をどこまでやるかという問題は、これからどんどん緊急度を増すだろう。運動ニューロン疾患——私のＡＬＳのような病気——を治す可能性を探ろうとすれば、その危険性を垣間見ないではすまない。

知能とは、変化に適応する能力と特徴づけることができる。人間の知能は、変化する環境に適応する能力を持つ者たちが、何世代にもわたって自然選択を受けてきた結果なのだ。変化を恐れてはならない。必要なのは、その変化を私たちに役立つものにすることだ。

私たちと次の世代が、早い時期にしっかりと科学を学ぶ機会を与えられるだけでなく、学ぼうという確固たる決意を持たなければならない。そうなれば、私たちの潜在的可能性を花開かせ、人類全体にとってより良い社会を作るための道のりを歩みつづけられるだろう。

それを確かなものにするために、私たちのひとりひとりに果たすべき役割がある。ＡＩはいかにあるべきかという純理的な議論の先に学習を進め、どんなＡＩにするのかを、確実に私たち人間が計画するようにしなければならない。人はみな、すでに受け入れられていることや、決められていることの限界を押し広げて、大きな夢を持つ力がある。私たちはいま、すばらしき新世界の入り口に立っている。危険な面もあるにせよ、それは胸躍る世界であり、私たちはその世界の開拓者なのだ。

火を使いはじめた人間は、何度も痛い目を見たのちに消火器を発明した。核兵器や合成生物学、強い人工知能〔人間のような能力や意識をそなえたＡＩ〕といった、もっと強力なテクノロジーについては、あらかじめ計画を立てて最初からうまくいくようにしなければならない。なぜならそれは一度きりのチャンスになるかもしれないからだ。私たちの未来は、増大するテクノロジーの力と、それを利用する知恵との競争だ。知恵が確実に勝つようにしようではないか。

AIのことを、なぜそれほど心配しなければならないのでしょう？
人間はいつでも好きなときに、AIのプラグを引き抜くことができるのでは？

人間がコンピュータに尋ねた。「神は存在するか？」
コンピュータはこう答えた。「いまや、神はここにいる」
そしてプラグのヒューズを飛ばした。*

*訳注――元ネタは二十世紀のアメリカの作家フレドリック・ブラウンのショートショート“*Answer*”。ブラウン作品のオチでは、コンピュータは電源スイッチを切ろうとした人間に雷を落とし、緊急停止スイッチのヒューズを飛ばして電源を切れないようにした。

10

HOW DO WE SHAPE THE FUTURE ?

より良い未来のために何ができるのか?

いまから百年前に、アルベルト・アインシュタインは、空間、時間、エネルギー、そして物質に関する知識に革命を起こした。私たちはいまでも、二〇一六年にレーザー干渉計型重力波検出器（ＬＩＧＯ）で観測された重力波のように、彼の予想を証明するすばらしい発見をしつづけている。私が独創性について考えるとき、まず頭に浮かぶのはアインシュタインのことだ。彼の独創的なアイディアは、どこから出てきたのだろう？　おそらく、鋭い直感、創意、明晰さといった資質が混じり合ったところからだろう。アインシュタインには、うわべをめくったその下にある構造を見抜く力量があった。彼は、ものごとは見た目どおりでしかないという常識的な考えに負けなかった。ほかの人たちには馬鹿げて見えるアイディアを、とことん突き詰める勇気があった。そのおかげでアインシュタインは、独創性を羽ばたかせ、彼の時代ばかりかあらゆる時代を通じた天才になることができたのだ。

アインシュタインにとって鍵になる重要な要素だったのが想像力だ。彼の発見の多くは、思考実験をすることで、新しい宇宙を思い描くことができたおかげで成し遂げられた。十六歳のときに、光線に乗ったらどうなるだろうとイメージしてみたアインシュタインは、その観点からすると、光は凍りついた波のように見えるはずだということに気がついた。そのイメージが、最終的には特殊相対性理論につながったのだ。

それから百年を経て、物理学者たちは宇宙についてアインシュタインよりもはるかに多くのことを知っている。今日の私たちには、粒子加速器、スーパーコンピュータ、宇宙望遠鏡、LIGO研究所で行われている重力に関する仕事のような実験など、発見のためのすばらしい道具がある。それでも想像力こそは、私たちのもっとも強力な特質であることに変わりはない。想像力があれば、時間と空間のどこにでも行くことができる。車の運転中や、ベッドでうとうとしているときや、パーティーに飽き飽きして、誰かのおしゃべりを聞いているふりをしているときなどに、宇宙でもっともエキゾティックな現象を間近に見ることもできる。

子どもの頃の私は、ものの仕組みにとても興味があった。当時はいまと比べて、機械を分解して仕組みを調べるのはそれほど難しくなかった。ばらばらにしたおもちゃを、いつも元どおりにできたわけではなかったけれど、今日の少年少女がスマートフォンを分解してみようと思うのに比べれば、ずいぶんたくさんのことを学べたと思う。

いまの私の仕事は、やはりものの仕組みを明らかにすることだ。ただし、対象のスケールは違う。私はもう、おもちゃの汽車を壊したりはしない。その代わりに物理法則を使って、宇宙の仕組みを明らかにしようとしている。仕組みがわかれば、その対象をコントロールできる。こんなふうに言ってしまうと、なんと簡単そうに聞こえるのだろう！　しかしそれは、おとなになってからの私の心をとらえて放さない、とても面白くて奥の深い仕事なのだ。私は世界でもっとも優秀な科学者たちの何人かと一緒に研究をしてきた。自分が選んだ宇宙論という分野

——それは宇宙の起源を調べる分野だ——の、栄光の時代に生きることができたのは幸運だった。

人間の頭脳は、信じられないほどすばらしい。壮大な天空を思い描くこともできれば、物質の基本構成要素のような複雑なものを考えることもできる。だが、ひとりひとりの頭脳が、その潜在能力をフルに発揮するためには、きっかけになるものが必要だ。それまでなんとも思っていなかったことに疑問を抱いたり、不思議だと感じたりする必要がある。

そんなきっかけを与えてくれるのは、学校の先生であることも多い。ここで少し、その話をさせてもらいたい。私は飲み込みの良い子どもではなかった。文字を読めるようになったのは遅かったし、字は汚かった。けれども十四歳のときに、セント・オールバンズのディクラン・タータ先生が自分のエネルギーの制御の仕方を教えてくれ、数学を創造的に考えてみるようはげましてくれた。タータ先生は、宇宙の青写真としての数学に目を開かせてくれたのだ。

非凡な人物の背後には非凡な教師がいるものだ。私たちひとりひとりが、自分は一生のうちにできることは何だろうと考えてみるとき、その何かができるのは、ひとりの教師のおかげかもしれない。

しかし今日、科学技術の教育と研究はかつてないほどの危機に瀕している。近年のグローバルな金融危機と財政引き締め政策のために、あらゆる科学分野で助成金が大幅にカットされているけれど、とくに基礎科学はひどい影響を被っている。また、私たちは文化的に孤立して、現在進展中の分野から遠ざかるという危うい状況にある。研究のレベルでは、さまざまな分野間に交流があれば、互いのスキルをすばやく交換することができるし、異なるバックグラウンドから得られるアイディアを持つ人たちが、新たに参入してくる機会にもなる。そうなれば、いまは進展しにくい状況にある分野も進展しやすくなるだろう。残念ながら、過去に戻ることはできない。イギリスのEU離脱とトランプが、入国管理と教育の発展に新たな力を及ぼすか、世界のいたるところで専門家に対する反感が強まっているのを、私たちは目の当たりにしている。ここで言う専門家には、科学者も含まれている。では、科学技術教育の未来を確かなものにするために、私たちにできることは何だろう?

ターター先生に話を戻そう。教育の未来のための基礎が、学校と、生徒にインスピレーションを与えてくれる先生にあることはまちがいない。だが学校にできるのは、生徒に初歩的な枠組みを与えることだけだし、反復練習、方程式、試験のせいで、子どもたちを科学嫌いにすることもある。複雑な計算を必要とする定量的な話ではなく、定性的な話ならば、たいていの人は良い反応を示してくれる。一般向けの科学書と科学記事は、科学者はどんなことをしているのかを伝えてくれる。しかし、非常に売れた本でさえ、読む人は人口のほんの一部だ。科学ドキュメンタリー番組と映画は一般の人たちに届きやすいけれど、一方通行のコミュニケーションでしかない。

「科学に興味なし」ではすまされない

一九六〇年代に私が研究を始めたとき、宇宙論は科学研究の辺境にある胡散《うさん》臭い分野だった。それがいまでは、理論的な仕事や、大型ハドロン衝突型加速器（ＬＨＣ）とヒッグス粒子の発見のような実験のめざましい成果のおかげで、宇宙論は宇宙の姿を明らかにしてくれた。まだ答えの得られていないビッグ・クエスチョンもあるし、残された課題も多い。それでも私たちは、比較的短期間のうちに、かつて誰も想像だにしなかったほど多くの知識を得たし、多くのことを成し遂げもした。

だが、いまの若い人たちには、どんな未来が待っているのだろうか？　確信を持って言えるのは、これまでのどの世代にもまして、いまの若い人たちの未来は、科学とテクノロジーに依存するだろうということだ。科学は、かつてない形で日々の暮らしの一部になるだろうから、いまの若い人たちは、これまでのどの世代よりも科学を知らなければならない。

大胆な憶測をめぐらせるまでもなく、見ればわかる傾向はあるし、今後対応を要することが明らかな問題も現れている。そんな問題として私の念頭にあるのは、地球温暖化、激増する人口のために場所と資源を見つけること、人間以外の種が急速に絶滅しつつあること、再生可能なエネルギー源を開発する必要があること、海洋汚染、森林破壊、感染症の蔓延などだ。しかしここであげたものは、ほんの一部にすぎない。

未来には、私たちの生活、仕事、食、コミュニケーション、旅行に革命を起こす偉大な発明もなされるだろう。生活のあらゆる領域で技術革新が起こるだろうという大いなる展望もある。そんな進展があればすばらしいことだ。月でレアメタルが採掘されたり、火星に人類の前哨《ぜんしょう》基地が建設されたり、いまは治る見込みのない病気を治す方法が見つかったりするかもしれない。人間はなぜ進化したのかという、まだ答えの得られていない問題もある。生命はいかにして地球に出現したのか？　意識とは何だろう？　宇宙には私たちのほかに誰かいるのだろうか、それとも私たちは宇宙にひとりぼっちなのだろうか？　これらは次の世代に残された問題だ。

今日の人類は進化の頂点にあり、これより良くはならないと考える人たちもいる。しかし、私はそうは思わない。私たちの宇宙の境界条件には、何かとても特別なことがあるにちがいないが、境界がない《ノーバウンダリー》ということ以上に特別なことがあるだろうか？　そして人間の真摯《しんし》な努力に限界はない《ノーバウンダリー》はずだ。私の考えでは、人類の未来のためにできることはふたつある。ひとつは、人類が生きていくのに適した惑星を求めて宇宙を探査すること。そしてもうひとつは、地球をより良いものにするために人工知能を建設的に利用することだ。

地球は人類にとってあまりにも小さくなってきた。物質資源は空恐ろしいほどの速さで枯渇に向かっている。人類はこの惑星に、気候変動、汚染、気温上昇、極地の氷冠の減少、森林破壊、動物種の大量絶滅という、ひどい贈りものをした。人口も恐ろしいほどのペースで増えつづけている。これらの数字を直視するなら、指数関数的と言えるほどの人口増加が、これから千年も続くはずがないのは明らかだろう。別の惑星への移住を考えるもうひとつの理由は、核戦争が起こる可能性があることだ。地球外生命がまだ接触してこないのは、私たちぐらいのレベルに到達した文明は不安定になって自滅するからだという説がある。いまや私たちは、地球上のあらゆる生物を殺せるだけのテクノロジーを持っている。北朝鮮で最近起こったできごとを見るにつけ、残念ながらその説は正しいのかもしれないとも思わされる。

しかし私は、起こりうる最終戦争は回避できると信じている。そのための最善の策のひとつは、宇宙空間に住処を移して、人類がほかの惑星で生きられるかどうかを探ることだ。

人類の未来に影響を及ぼしそうな別の展開は、人工知能の勃興だ。

前章で述べたように人工知能の研究は、このところ急速に進展している。自動運転車の登場、コンピュータが囲碁で人間を負かしたこと、ＳｉｒｉやＧｏｏｇｌｅ Ｎｏｗ、Ｃｏｒｔａｎａといったデジタルなパーソナル・アシスタントの到来など、近年のランドマークとなったできごとは、前例のない巨額の投資と、しだいに成熟しつつある理論的な基礎にもとづいて拍車のかかるＩＴ軍拡競争の一端にすぎない。これらの成果は、これからの数十年間に成し遂げられることに比べれば色褪せて見えることだろう。

だが、スーパーインテリジェントなＡＩの到来は、人類に起こる最善のできごとになるか、さもなければ最悪のできごとになるだろう。ＡＩはどこまでも私たちの力になるのか、あるいは私たちをないがしろにして破滅に追いやるのかはわからない。私は楽天家なので、世界のために役立ち、私たちと協調してやっていけるＡＩを作ることはできると考えている。そのためにやるべきことは、危険があることを理解したうえで何が危険なのかを突き止め、最善の策とマネジメントを選び取り、起こりうる事態に対して十分に先回りして対処することだけだ。

テクノロジーは私の人生に途方もなく大きな影響を及ぼした。私はコンピュータを通して言葉を発している。アシスティブ・テクノロジー（福祉機器）のおかげで、病気に奪われた声を取り戻すことができた。私が声を失ったのが、パーソナル・コンピューティング時代の幕開けの時期に当たっていたのは幸運だった。インテルが四半世紀にわたり支援してくれたおかげで、私は毎日、したいことをすることができた。そのあいだに世界は劇的に変化し、テクノロジーはかつてない形で世界に影響を及ぼすようになった。通信から遺伝子研究まで、さらには情報にアクセスするための手段まで、テクノロジーはさまざまな面で私たちみなの暮らしを変えた。テクノロジーが賢くなるにつれて、予想もしなかった可能性に扉が開かれた。障がい者支援のために開発されたテクノロジーは、かつてコミュニケーションの壁だったものを率先して打破している。障がい者支援のための研究開発は、しばしば未来のテクノロジーの性能試験場だ。

音声からテキストへ、さらにテキストから音声への変換や、ホームオートメーション、はてはドライブ・バイ・ワイヤ、セグウェイにいたるテクノロジーは、日常の使用に供される何年も前に障がい者のために開発されたものだ。こうしたテクノロジーの成果が、私たち自身のなかで創造力の火花を散らすのは当然だろう。その創造力は、身体的に成し遂げられたことから理論物理学の仕事まで、たくさんの形をとりうる。

今後ますます、いろいろなことが起こるだろう。ブレイン・マシン・インターフェースは、コミュニケーションの手段を、より反応の良い、より表情豊かなものにするだろう。そして、いまよりずっと多くの人に使ってもらえるようになるだろう。私は現在、フェイスブックを使っている。そのおかげで世界中の友だちやフォロワーに直接話しかけることができるし、私の最新の理論のことを知ってもらうことも、旅行先での私の写真を見てもらうこともできる。そして私は、子どもたちが話してくれることではなく、彼らが実際に何をやっているのかを見ることができる。

ほんの数世代前の社会にとって、インターネット、携帯電話、医療用画像、ＧＰＳナビゲーション、ソーシャルネットワークが理解を超えていたのと同じように、私たちがいまようやく考えはじめた路線に沿って、未来の社会は大きく変化するだろう。情報そのものが私たちをそんな未来に連れていくことはなくとも、情報を賢く、創造的に使うことで、そんな未来に行くことができるだろう。

未来には、そのほかにも多くのことが起こるだろう。そんな未来像が、今日の小中学生を大いに刺激してくれることを願っている。現在の小中学生には、科学を学ぶ機会が与えられなければならない。そして、単に機会が与えられるだけでなく、ひとりひとりの潜在能力を開花させ、人類全体のためにより良い社会を作ることができるように、早いうちから熱心に科学を学びたいと思ってもらわなければならない。そのために、私たちには果たすべき役割がある。また私は、学習と教育の未来はインターネットにあると信じている。インターネットなら、質問に答えてやりとりができる。インターネットは、ちょうど大きな脳のなかのニューロンのように私たちみなを結びつける。それだけのＩＱがあれば、できないことなどあるだろうか？

私が子どもだった頃、科学には興味がないとか、どうして科学なんか勉強しなきゃいけないのか、などと言うことは、まだ許容できた――私が許容したのではなく、社会が許容していたのだ。だが、もうそんなことは通用しない。その理由を説明させてもらおう。私はなにも、すべての若者が科学者になるべきだと言っているのではない。みなが科学者になることが理想的だとも思わない。というのも、さまざまなスキルを持つ人が世のなかには必要だからだ。

しかしどんな道を選ぶにせよ、すべての若者は、科学のさまざまな科目に親しみ、それらに自信を持つべきだと思うのだ。若い人たちは科学リテラシーを持つ必要があるし、さらに先まで学ぶために、科学技術の進展についていこうと思うための刺激を受けなければならない。

思うに、最先端の科学技術とその応用を理解できるのは一握りのスーパーエリートだけだという世界は危険だし、貧しいのではないだろうか。そんな世界で、たとえば海をきれいにするとか途上国の病気を治すといった、長い目で見て恩恵のあるプロジェクトに高い優先順位が与えられるものだろうか？　悪くすると、最先端のテクノロジーが私たちに害をなすような使い方をされるかもしれず、私たちにはそれを阻止できないということにもなりかねない。

私は限界《バウンダリー》というものを信じない。個人が私生活のなかでできることについてであれ、この宇宙のなかで生命と知能にできることについてであれ、限界があるとは思わない。科学のあらゆる分野で、私たちは重要な発見の戸口に立っている。これから五十年のうちに、この世界が大きく変化するであろうことに疑問の余地はない。ビッグバンのときに何が起こったのかもわかるだろう。地球の生命はいかにして生じたのかもわかるかもしれない。さらには、宇宙のどこかに生命が発見される可能性もある。知的な地球外生命とコミュニケーションをする可能性は低いかもしれないけれど、それでも地球外生命を発見することは重要だ。なぜならその発見は、やるだけのことはやらなくてはいけないということ、そしてあきらめてはいけないということを意味しているからだ。

私たちは、宇宙にロボットや人間を送って、私たちの暮らすこの世界の探索を続けるだろう。

どんどん小さくなり、汚染が進み、人口が増えすぎたこの惑星で、この先ずっと内向きに自分たちを見つづけるわけにはいかない。科学の試みと技術革新によって、地球上の問題の解決に努めながら、広大な宇宙に目を向けなければならない。そして私は、いずれはほかの惑星上に人類が住める場所を作ることについては楽天的だ。私たちは地球を超えて、宇宙で生きていくすべを身につけるだろう。これは物語の終わりではなく、生命がこれから何十億年も宇宙で繁栄する物語の始まりにすぎない。

最後にひとつ言いたいのは、科学上の次の大発見が、どの分野でなされるか、そして誰がそれを成し遂げるのかはわからないということだ。科学的発見のスリルと興奮を、できるだけ広く若い聴衆に届けるための革新的で使いやすい方法を開発すれば、新たなアインシュタイン——それは女性かもしれない——を見出し、刺激を与える可能性が大きく高まるだろう。その人物がどこにいたとしても。

顔を上げて星に目を向け、足元に目を落とさないようにしよう。それを忘れないでほしい。見たことを理解しようとしてほしい。そして、宇宙に存在するものに興味を持ってほしい。知りたがり屋になろう。人生がどれほど困難なものに思えても、あなたにできること、そしてうまくやれることはきっとある。大切なのはあきらめないことだ。想像力を解き放とう。より良い未来を作っていこう。

大小を問わず、社会を変革するアイディアのうち、人類が実現させるのを見てみたいものは何ですか？

この問題に答えるのは簡単です。クリーンエネルギーを際限なく供給する核融合の発電が開発されて、ガソリン車から電気自動車に切り替わるのを見てみたい。核融合は現実的なエネルギー源となって、汚染や地球温暖化なしに、消費しきれないほどのエネルギーを供給してくれるでしょう。

あとがき

ルーシー・ホーキング

ケンブリッジの春の日の寒々とした灰色のなか、私たちは黒い車をつらねて、功績ある学者の葬儀が伝統的に行われてきた大学付属のグレート・セント・メアリー教会に向かった。学期末の休みということもあり、通りはひっそりと静まり返っていた。道をぶらつく観光客ひとりおらず、ケンブリッジはがらんとして見えた。唯一目に入った色彩は、父の棺《ひつぎ》を乗せた霊柩《れいきゅう》車《しゃ》を先導して、まばらに通行する車を停止させる警察官のバイクに点滅する光の青だけだった。

そして私たちは左折した。そのとき、ケンブリッジの心臓部であり、世界でもっとも認知度の高い通りのひとつであるキングズパレードに沿って、ぎっしりと並ぶ群衆が目に入った。これほど大勢の人たちが、これほどしいんとしているのを私は見たことがない。バナー、旗、カメラ、携帯電話が高く掲げられ、父が所属していたケンブリッジのゴンヴィル・アンド・キーズ・カレッジの門衛主任が儀礼服に身を包んで山高帽をかぶり、漆黒の杖《つえ》を手に荘厳な身振りで霊柩車を迎えて教会に導いた。

叔母は私の手をぎゅっと握りしめ、ふたりともこらえきれずに泣き崩れた。「これを見たら、兄さんはどんなにか喜んだことでしょう」と、叔母はつぶやくように言った。

父が亡くなってから、生きていたら喜んだであろうことがたくさん起こった。私はそれらを父に教えてあげられたらと思う。世界中の人たちが惜しみなく注いでくれた親愛の情を見せてあげたかった。会ったこともない何百万という人たちが、心から父を愛し、尊敬してくれていたのを教えてあげたかった。ウェストミンスター寺院では、科学のふたりの英雄、アイザック・ニュートンとチャールズ・ダーウィンと並んで葬られることになったと教えてあげたいし、埋葬に合わせて、父の声が電波望遠鏡でブラックホールに向けて送信される予定だと教えてあげたい。

とはいえ、父は、これはいったい何の騒ぎかと思いもしただろう。父はびっくりするほど謙《けん》遜《そん》家なところがあり、注目されるのが大好きな一方で、自分の名声にとまどってもいたようだった。自らに対する父の姿勢がよく表れている言葉として、本書の次の一節が私の目に飛び込んできた。「もしも私が何か貢献したのであれば」。ここに「もしも」という言葉を添えるのは、父だけだろう。父が貢献を成したことは、父以外の誰も疑わないと思う。

そしてそれはなんという貢献なのだろう。宇宙の構造と起源を探るという宇宙論の壮大な仕事と、大きな困難を背負いながら、申し分なく人間的な勇気とユーモアを持っていたことのふたつの面で父は貢献をした。忍耐の限度を超えながら、知識の限界をも超えて、その壁を越える方法を見出した。これほど偶像的な存在になりながら、気さくで親しみやすい人だと思ってもらえることができたのは、そのふたつの面があったからだろう。父は病気を得たけれど、屈することなく生き抜いた。人とコミュニケーションをとることは、父にとっては絶えざる努力を要することだった——それでも、身体の動きが失われるにつれて装置を適応させながら、父はコミュニケーションをとろうとしつづけた。平板な電子音声で語られたときに、もっとも効果が上がるよう、言葉を選び抜いた。父が使うと、電子音声は不思議なほど表情豊かになった。NHS〔イギリスの国家医療制度〕についてであれ、宇宙の膨張についてであれ、人びとは父の言葉に耳を傾けた。ジョークを言う機会はけっして逃さず、とことん無表情な話し方なのに、目のきらめきを見ればそれとわかるように語った。

父は家族を大切にする人でもあった。二〇一四年に、映画「博士と彼女のセオリー」が公開されるまでは、父のその一面はほとんど知られていなかったと思う。実際、一九七〇年代には、障がい者が配偶者を得て子どもを持ち、自立性や独立性を強く意識しているケースは稀《まれ》だった。私が幼かったとき、父がふたりの子どもをともなって——子どもたちはしばしばアイスキャンディーをなめながら——信じられないようなスピードでケンブリッジを車椅子で突っ走っていると、見知らぬ人たちが無遠慮に、ときにはあんぐりと口を開けて、じっと見ていたものだった。私はそんなふうに見られるのが大嫌いだった。信じられないほど失礼なことだと思った。そんなときはにらみ返すようにしていたけれど、私の怒りが相手に伝わったとは思わない。幼い顔をアイスキャンディーでべたべたにした子どもににらまれたとくれば、なおさらだろう。

どう考えても、あれは普通の子ども時代ではなかった。私はそのことを知っていたけれど、それと同時に知らずにいた。おとなに向かって次つぎと難問を繰り出すのは、ごく普通のことだと思っていた。家ではそれが普通だったからだ。どうやらそれは子どものやることではないらしいと気づきはじめたのは、教区牧師が示した神の存在証明をことこまかに問いただしたときのことだ。聞くところでは、私はその牧師を泣かせてしまったらしい。

とはいえ、私は自分のことを質問魔だとは思っていなかった――質問魔はむしろ兄のほうだと思っていた。年長のきょうだいらしく、兄は何につけても私より一枚うわてだった（それはいまも変わらない）。思い出すのは、家族で過ごしたある休暇のことだ。毎度のことながら、その休暇はたまたま海外で開かれた物理学の国際会議と一致していた。兄と私は父に連れられて、いくつか講演を聴いた――おそらく、母を子どもの世話から解放してやるためだったのだろう。当時、物理学の講演を聴くというのは一般的な休暇の過ごし方ではなく、子どもに人気の催しではけっしてなかった。私は会場の椅子にかけてノートに落書きをしていたが、兄は少年らしい細い腕を上げて、傑出した学者である発表者に質問をしたのだ。父は得意満面だった。

私はよくこう尋ねられる。「スティーヴン・ホーキングの娘だというのは、どんな感じですか?」。当然ながら、それはひとことでは言えない。良いときはすばらしく、悪いときはどん底だったと言うことはできるし、その中間に「私たちにとっての普通」と呼びならわす時間があったと言うこともできる。私たちにとっては普通のことでも、ほかの人たちにとってはそうではないと受け入れるのは、おとなになってはじめてできることだ。むきだしの悲しみが時とともにやわらぐにつれ、私たちの経験を整理するためには、永遠の時間がかかるのかもしれないと思いもした。ある意味では、私はあの経験を整理したいのかどうかもわからない。ときおり、父が私に語った最後の言葉を、支えにしていこうと思うことがある。父は、私は可愛い娘だったと、そして恐れるなと言ったのだ。父ほど勇敢にはけっしてなれないだろう——もともと私はそれほど勇敢な人間ではない。それでも、勇敢になろうとすることはできるし、父はそのことを教えてくれた。そして勇敢になろうと努力することこそは、結局のところ、勇気のもっとも大切な部分なのかもしれない。

父はけっしてあきらめず、闘いに背を向けなかった。七十五歳になって麻痺が進み、動かせるのは顔のいくつかの筋肉だけになっても、父は毎日ベッドを出て、スーツを着て仕事に出かけた。父にはやらなければならないことがあり、些細なことがらに行く手を阻まれるのを拒否した。しかし、これは言っておきたいのだけれど、父の葬儀のときにバイクで先導してくれた警察官のことを知っていたら、自宅からケンブリッジの研究室まで、毎日の朝の通勤ラッシュを先導してほしいと頼んだかもしれない。

幸いにも、父はこの本のことを知っていた。本書は、父が地球上で過ごした最後の一年間に取り組んだプロジェクトのひとつだった。書いたものをまとめて、一冊の本にしようと考えたのだ。父が亡くなってから起こったたくさんのできごとと同じく、完成した本を見せてあげたかった。父はきっとこの本のことをとても誇らしく思っただろうし、これで自分にもひとつ貢献ができたと自ら認めたかもしれない。

二〇一八年七月

ルーシー・ホーキング

謝辞

スティーヴン・ホーキング財団は、本書の編集にあたってご協力いただいた次の方がたに感謝を申し上げる。キップ・ソーン、エディ・レッドメイン、ポール・デイヴィス、セス・ショスタク、デイム・ステファニー・シャーリー、トム・ナバロ、マーティン・リース、マルコム・ペリー、ポール・シェラード、ロバート・カービー、ニック・デイヴィス、ケイト・クレイギー、クリス・シムズ、ダグ・エイブラムズ、ジェニファー・ハーシー、アン・スペイヤー、アンシア・ベイン、ジョナサン・ウッド、エリザベス・フォレスター、ユーリ・ミルナー、トマス・ヘルトフ、マー・ファテン（馬化騰）、ベン・ボウイー、フェイ・ダウカー。

スティーヴン・ホーキングは、その生涯を通して、革新的な科学論文の共同研究者や、たとえば「ザ・シンプソンズ」のチームのような脚本家との共同作業まで、科学上とクリエイティヴな面での協力関係をもって知られる。晩年には、技術的にも、コミュニケーションという面からも、周囲を取り巻く人びとの支援がますます必要になった。スティーヴン・ホーキング財団は、スティーヴンが社会とコミュニケーションをとりつづけるために力になってくださったすべての方がたに感謝を申し上げたい。

解説——スティーヴン・ホーキングの思い出とともに

カリフォルニア工科大学、理論物理学ファインマン教授
キップ・S・ソーン

私がはじめてスティーヴン・ホーキングに出会ったのは、一九六五年七月、イギリスのロンドンで開かれた一般相対性理論と重力に関する会議に出席したときのことだ。スティーヴンはケンブリッジ大学で博士号の研究に取り組んでおり、私のほうはプリンストン大学で博士号を取得したばかりだった。その会議ではあちこちの講演会場で、あるうわさが飛び交っていた。スティーヴンが、われわれの宇宙は有限の過去に生まれたのでなければならないという、説得力のある論拠を考え出したらしいというのだ。宇宙は無限の過去から存在していたということはありえない、と。

そこで私はスティーヴンの講演を聴こうと、ほかの百人ほどの人たちとともに、定員四十人の講義室にむりやり身体をねじ込んだ。彼は杖をついていたし、多少ろれつのまわらないところはあったけれど、それを別にすれば、それより二年前に診断を下された運動ニューロン疾患の兆候はまだそれほどではなかった。そしてその病気が、彼の頭脳に何の影響も及ぼしていないのは明らかだった。彼の明晰な論証は、アインシュタインの一般相対性理論の方程式と、われわれの宇宙は膨張しているという天文学者たちの観測と、正しい可能性がきわめて高いと考えられるいくつかのシンプルな仮定に依拠し、ロジャー・ペンローズがその少し前に考案した新しい数学的テクニックのいくつかを利用していた。スティーヴンはそれらす

べての要素を、巧妙かつ力強く、説得的に組み合わせることで、われわれの宇宙はおよそ百億年前に、なんらかの特異的状態で始まったのでなければならないという結論を導き出したのだ（それから二十年後に、スティーヴンとロジャーは共同で、いっそう説得力のあるやり方で、この特異的な時間の始まりのことを証明し、また、どのブラックホールの中心部にも、時間の終わりとなる特異点が存在すると証明することになった）。

私は、スティーヴンの講演に強い感銘を受けて講義室を後にした。彼の議論の組み立て方と、そこから導き出された結論に感銘を受けただけでなく、いっそう重要なことに、彼の洞察力と創造性に感銘を受けたのだ。そこで私は彼を探し出して、一時間ばかりふたりだけで話をした。それが生涯を通じての友情の始まりだった。その友情は、科学上の共通の興味だけでなく、お互いに対する驚くほどの共感にもとづいていた。人間としての相手が、気味が悪いほど理解できたのだ。まもなくわれわれは、科学よりもむしろ人生や恋愛、さらには死について語り合うようになった。とはいえ、科学はやはり、われわれふたりを結びつける太い絆だった。

一九七三年九月のこと、私はスティーヴンとその妻ジェーンを、ソヴィエトのモスクワに連れていった。当時は冷戦の真っ只中だったにもかかわらず、私は一九六八年以来、ヤーコフ・ボリソヴィチ・ゼルドヴィチ率いるグループの人たちと共同研究をするために、隔年で一か月ほどモスクワに滞在していたのだ。ゼルドヴィチは超一流の宇宙物理学者で、ソヴィエトの水爆の父でもあった。核兵器に関する機密保持のため、彼は西ヨーロッパやアメリカに行くことを禁じられていた。ゼルドヴィチはスティーヴンとの議論を熱烈に望んでいたが、彼のほうからスティーヴンに会いに行くことはできない。そこでわれわれのほうが彼に会いに行ったというわけだ。

モスクワでのスティーヴンは、その洞察力でゼルドヴィチとそのほか数百人の科学者たちを唸《うな》らせ、スティーヴンのほうも、ゼルドヴィチからひとつふたつのことを学んだ。忘れもしない、スティーヴンと私が、ゼルドヴィチと当時博士号の研究をしていた彼の学生アレクセイ・スタロビンスキーとともに、ホテル・ロシアのスティーヴンの部屋で過ごした、ある午後のことだ。ゼルドヴィチは自分たちの驚くべき発見を直感的なやり方で説明し、スタロビンスキーはそれを数学的に説明した。

ブラックホールを回転させるためにはエネルギーが必要だ。そのことはすでにわれわれも知っていた。彼らが説明したのは、ブラックホールはその回転エネルギーを、粒子を作るために使うことができて、そうして作られた粒子たちは回転のエネルギーを持って飛び去るということだった。これは新しくて驚くべきことだった――しかし、ものすごく驚くべきというほどではない。ある物体が運動エネルギーを持っていれば、自然は普通、そのエネルギーを取り出す方法を見つけ出すものだ。われわれはすでにブラックホールの回転エネルギーを取り出す方法をいくつか知っていた。ゼルドヴィチらの方法は、予想外ではあったけれど、新しい方法がまたひとつ見つかったというだけだった。

さて、こうした対話の大きな価値は、思考を新しい方向に向かわせるきっかけになりうることだ。そしてスティーヴンは、きっかけをつかんだ。彼はそれから数か月をかけて、ゼルドヴィチとスタロビンスキーの発見について考え抜き、最初にある方向から問題を眺め、次にまた別の方向からその問題を眺めるうちに、ついにある日、スティーヴンの頭のなかで、あのときの対話が過激というしかない洞察の引き金を引いた。ブラックホールは回転をやめてからも、粒子を放射しつづけることができるというのだ。ブラックホールは、放射を出すことができる――そしてその放射は、ブラックホールが実際には生ぬるい程度の温度であっても、太陽のような高温の天体であるかのように放射を出すというのだ。ブラックホールの質量が大きくなればなるほど、放射の温度は低くなる。太陽ほどの質量を持つブラックホールの温度は、0.00000006K、すなわち絶対零度よりも百万分の〇・〇六度だけ高い温度を持つ。この温度を計算する式は、ロンドンのウェストミンスター寺院の、スティーヴンの遺灰がアイザック・ニュートンとチャールズ・ダーウィンと並んで納められた場所に置かれた銘板に刻まれている。

ブラックホールの「ホーキング温度」と「ホーキング放射」(とのちに呼ばれるようになった)は、真に過激な発見だ——おそらく二十世紀後半の理論物理学においてもっとも過激だと言っていいだろう。ホーキング温度とホーキング放射は、一般相対性理論(ブラックホール)、熱力学(熱の物理学)、そして量子物理学(何もないところから粒子を作り出すこと)のあいだの深遠なつながりにわれわれの目を開かせた。たとえば、スティーヴンはこの発見に導かれて、ブラックホールはエントロピーを持つということを証明した。エントロピーは乱雑さを示す量の対数をとったものだから、ブラックホールの内部またはその周囲には、莫大な量の乱雑さがあるということになる。彼は、ブラックホールのエントロピーの大きさは、ブラックホールの表面積に比例するという関係を導き出した。ブラックホールのエントロピーを表すスティーヴンの式は、彼の仕事場だったケンブリッジ大学ゴンヴィル・アンド・キーズ・カレッジの、彼を記念して置かれた石に刻まれている。

過去四十五年にわたり、スティーヴンとそのほか数百名の物理学者たちは、ブラックホールの乱雑さには、厳密にはどんな性質があるのかを理解しようとしてきた。その問いは、量子論と一般相対性理論を合体させたものについて——つまり、まだほとんどわかっていない量子重力の法則について——新しい洞察を生みつづけている。

一九七四年の秋のこと、スティーヴンは博士課程の学生たちと家族(妻のジェーンとふたりの子ども、ロバートとルーシー）を連れて、一年間の予定でカリフォルニア州のパサデナにやってきた。こうして彼と学生たちは、私の所属する大学であるカルテック（カリフォルニア工科大学）の知的生活に参加し、私の研究グループに合流することになった。それはのちに、「ブラックホール研究の黄金時代」と呼ばれることになる時期の頂点となる、栄光の一年だった。

その一年間、スティーヴンと彼の学生たち、そして私の学生のうちの何名かが、ブラックホールについての理解を深めるために力を尽くし、私も多少は力を注いだ。だが、スティーヴンがいてくれたことと、彼がブラックホール研究の合同グループを率いてくれたことで、私はそれまで何年も考えつづけていた新しい方向性を追究する自由を得た――その新しい方向性とは、重力波の研究である。

宇宙を突っ切って伝わり、遠くにあるものに関する情報をわれわれにもたらしてくれる波には、ふたつの種類しかない。ひとつは電磁波（光、X線、ガンマ線、マイクロ波、電波などがこれに含まれる）で、もうひとつが重力波だ。

電磁波は、振動する電気と磁気の力からなり、光の速度で進む。その波が荷電粒子（ラジオやテレビのアンテナに含まれる電子など）に当たると、波は粒子たちを揺り動かして、運んできた情報をそれらの粒子たちに渡す。その情報を増幅したり、拡声器やテレビ画面に送り込んだりすれば、人間に理解できるようにすることができる。

重力波は、アインシュタインによれば、空間の歪みが振動する波だ。空間が伸びたり縮んだりを繰り返すのである。一九七二年のこと、マサチューセッツ工科大学のレイナー（レイ）・ワイスが重力波検出器を発明した。その装置はL字型をした真空パイプでできていて、パイプの内部には、L字の曲がり角と両端の三か所に鏡が吊り下げられている。重力波による空間の伸び縮みはごくわずかだが、L字の二本の腕に置かれた二組の鏡のあいだで光を何度も往復させることにより、光の干渉という形で検出することができる。レイはレーザービームを使って、この伸縮の振動パターンを測定することを提案した。そうすれば、レーザー光は重力波から情報を取り出すことができ、そうして得られた信号を増幅して、コンピュータに送り込めば、人間が理解できるようにすることができる。

電磁波を利用するタイプの望遠鏡を使って宇宙を調べる天文学、電磁天文学を創始したのはガリレオだった。小さな光学望遠鏡を作ったガリレオは、それを木星に向けて、木星の衛星のなかでもっとも大きな四つを発見した。それに続く四百年間に、電磁天文学は、宇宙に関するわれわれの理解を根底からひっくり返すような変革を起こしてきた。

一九七二年のこと、私と学生たちは、重力波を使えば宇宙についてどんなことがわかるだろうかと考えはじめた。われわれは重力波天文学のヴィジョンを描きはじめたのだ。重力波は空間の歪みの一種なのだから、とくに大きな波を生むのは、それ自体がまるごと、あるいは部分的に歪んだ時空でできた天体だろう。ということは、とりわけブラックホールが大きな重力波を生むということだ。重力波は、ブラックホールに関するスティーヴンの洞察を詳しく調べ、その成否を検証するためには理想的な道具になるはずだ、とわれわれは結論した。

一般的に、重力波は電磁波とは根本的に性質の異なる波なのだから、重力波はそれ自体として、宇宙についてのわれわれの理解に新たな革命を起こすことはほぼ確実だった。その革命は、ガリレオに続いて起こった電磁革命という大革命に匹敵するものになりそうだった——とはいえ、それはあくまでも、とらえどころのない重力波がもしも検出されて、モニターされればの話だ。そして、そのもしもは、大きなもしもだった。地球は重力波の波間を漂っているわけだが、その波はあまりにも微弱で、レイ・ワイスのL字型装置に生じる両端の距離の変化は、たとえ鏡が数キロメートルも離れていたとしても、陽子の直径の百分の一（つまり、原子のサイズの百万分の一）にしかならない、とわれわれは見積もった。

こうして、あの栄光の一年に、スティーヴンと私の研究グループがカルテックで合流したとき、私は自分の時間のほとんどを費やして、重力波が検出できる可能性はどれぐらいあるのかを検討することになった。スティーヴンはそれより数年前に、彼の学生だったゲイリー・ギボンズと独自の重力波検出器を設計したことがあったので（実際にその装置を作ることはなかった）、この方面でも力になってくれた。

スティーヴンがケンブリッジに戻ってまもなく、私の探究が実を結んだ。レイ・ワイスとふたりで、ワシントンDCのホテルのワイスの部屋で、朝まで徹底的に議論したときのことだ。私は、成功の見込みは十分に高いこと、それゆえレイをはじめとする実験家たちと力を合わせ、われわれの重力波のヴィジョンを実現させることに、自分のキャリアと、この先指導することになる学生たちの研究のほとんどをかけて取り組むべきだという確信を得た。その後のなりゆきは、いまでは歴史となっている。

二〇一五年九月十四日、レーザー干渉計型重力波検出器（LIGO）が初めて重力波を検出した（LIGOは、レイと私とロナルド・ドレーヴァーが共同で立ち上げた千人規模のプロジェクトで建造され、バリー・バリッシュが装置を組み立てる段取りをして実験を率いた）。われわれのチームは、検出された波のパターンをコンピュータ・シミュレーションによる予測と比較して、その波は、地球から十三億光年離れたところにある二個の大質量ブラックホールから生じたと結論した。これが重力波天文学の始まりだった。ガリレオが電磁波において成し遂げたことを、われわれのチームは重力波天文学において成し遂げたのだ。

次世代の重力波天文学者たちは、これから数十年かけて、ブラックホールの物理学に関するスティーヴンの法則を、重力波を使って検証していくことになるだろう。さらには、この宇宙が特異的に誕生したときに生じた重力波を検出し、モニターすることにより、この宇宙はいかにしてこのような宇宙になったのかに関するスティーヴンのアイディアも検証することになるだろう。私はそれを確信している。

一九七四年から七五年にかけての栄光の一年に私は重力波のことで奔走し、スティーヴンはブラックホール研究の合同グループを率いたが、そのあいだにも彼自身は、ホーキング放射の発見を超える、いっそう過激な洞察を得た。彼は、ブラックホールが形成されて、その後放射を出して蒸発してすっかり消滅するとき、ブラックホールに落ち込んだ情報はけっして出てこられないことを示す、ほとんど完璧で水も漏らさぬ圧倒的な説得力を持つ証明を与えた。情報はどうしても失われてしまうというのだ。

この洞察が過激だというのは、量子物理学の法則によれば、情報が完全に失われることはけっしてありえないからだ。したがって、もしもスティーヴンが正しければ、ブラックホールは、もっとも基本的な量子力学の法則を破っていることになる。

そんなことがありえるだろうか？　ブラックホールの蒸発は、量子力学の法則と一般相対性理論の法則を合わせたもの、つまり、まだよくわかっていない量子重力の法則に支配される。相対性理論と量子物理学が合体したことで生じる激烈な状況のせいで、情報は失われてしまわざるをえない、というのがスティーヴンの論証だった。

大多数の理論物理学者にとって、それはとうてい受け入れられない話だ。彼らはこの結論にきわめて懐疑的である。そんなわけで、その後四十四年にわたって、物理学者たちはこのいわゆる情報喪失パラドックスをどうにかして解消しようと奮闘してきた。このパラドックスは量子重力の法則を理解するための有力な鍵なので、それを解消しようとする闘いはこれまでに費やされて来た努力と苦悩に十分に値する。スティーヴン自身、二〇〇三年には、ブラックホールが蒸発する際に情報が逃げ出す可能性をひとつ見出したが、それで理論家たちの闘いがやんだわけではない。スティーヴンは情報が逃げ出すことを証明したわけではなかったからだ。というわけで、懸命の努力は今も続けられている。

ウェストミンスター寺院にスティーヴンの遺灰が納められたとき、私はスティーヴンに捧げる頌徳《しょうとく》の辞に次のように述べて、情報喪失パラドックスをめぐるこの努力を、人びとの記憶にとどめることにした。「ニュートンはわれわれに答えを与えた。ホーキングはわれわれに問いを与えた。そしてホーキングの問いそのものが、数十年先にも問いを与えつづけ、ブレイクスルーを生みつづけるだろう。われわれがついに量子重力の法則を手に入れ、この宇宙がいかに誕生したかをつぶさに理解するとき、その偉業のほとんどは、ホーキングの肩の上に立つことによって成し遂げられるのかもしれない」

★

一九七四年から七五年にかけての栄光の一年は、重力波を追い求める私の研究にとって始まりにすぎなかったように、量子重力の法則を詳細に理解しようとするスティーヴンの探究にとっても、ほんの始まりにすぎなかった。彼は量子重力の法則が、ブラックホールの情報と乱雑さの本質について、何を教えてくれるのかを知ろうとした。またそれらの法則が、宇宙の特異的な誕生の本質と、ブラックホールの内部にある特異点の本質について何を教えてくれるのかも知ろうとした――それは、時間の誕生と死の本質を知ろうとすることだ。

これらはビッグ・クエスチョン、それも非常にビッグなクエスチョンだ。

私はビッグ・クエスチョンを避けてきた。私にはそれらに取り組むために必要な技量も知恵もないし、自信もない。それに対してスティーヴンは、彼の研究に深く根ざしたものかどうかによらず、つねにビッグ・クエスチョンに心を引かれていた。実際、彼にはそんな問題に取り組むために必要な技量も知恵も、そして自信もあった。

本書には、ビッグ・クエスチョンに対する彼の回答が集められている。死が訪れるそのときまで、彼はこれらの問いに答えようとしていた。

六つの問い（神は存在するのか？　宇宙はどのように始まったのか？　未来を予言することはできるのか？　ブラックホールの内部には何があるのか？　タイムトラベルは可能なのか？　より良い未来のために何ができるのか？）に対するスティーヴンの回答は、彼の科学に深く根ざしている。本書を読んだ人はすでにご存知のように、私がこの解説で手短に説明した問題についてスティーヴンはより深く論じているし、ずっと多くのテーマを取り上げている。

残る四つのビッグ・クエスチョン（人間は地球で生きていくべきなのか？　宇宙には人間のほかにも知的生命が存在するのか？　宇宙に植民地を建設するべきなのか？　人工知能は人間より賢くなるのか？）に対する彼の回答は、彼の科学上の研究にしっかりと根ざしたものとはなりようがない。それにもかかわらず、やはりと言うべきか、彼の回答には深い知恵と創造性がある。

みなさんが私と同じく、彼の回答は刺激的で洞察に満ちていると思ってくれたなら、そして本書を楽しんでくれたなら、うれしく思う。

二〇一八年七月

キップ・S・ソーン

訳者あとがき

スティーヴン・ホーキングが、二〇一八年三月十四日に七十六歳で亡くなった。『ホーキング、宇宙を語る』という世界的ベストセラーの著者として知られ、「車いすの天才」として親しまれたホーキング博士は、二十世紀後半の世界でもっとも有名な科学者だったと言えるだろう。七十六歳というのは、昨今、けっして長命とは言えない。けれどもその生涯は、まさしく「普通とは言えない」ものだった。

一九四二年一月八日にオックスフォードに生まれたホーキングは、一九六三年、ケンブリッジ大学の大学院に進んでまもなく、運動ニューロン疾患のひとつである筋萎縮性側索硬化症（ＡＬＳ）の診断を受けた。当初は博士論文を書き上げるまで生きることはできないだろうと言われたという。しかし幸いにも病気の進行は遅く、彼はそれから半世紀あまりを生き抜いた。

ホーキングは二十一歳で余命告知を受けてからの人生を「思いがけない贈り物」のようなものだったと語っている。贈り物とはいっても、明るい展望があったわけではない。回復の見込みのない、悪化の一途をたどる病気をかかえての人生だ。一日一日がありがたいとはいえ、それを半世紀続けるのは並大抵のことではなかったにちがいない。けれども彼はその人生を、信じられないほど楽しみ、味わい尽くしたように見える。

いったい何が、彼をあれほどまでに輝かせていたのだろうか？　彼は本書のなかで、自分が愛する人たち、自分を愛してくれる人たちがいなかったなら、宇宙はうつろな世界だっただろうと述べている。それは多くの人に共通する思いであるにちがいない。それ以外に彼特有のエネルギー源があるとしたら、それこそはビッグ・クエスチョンだったのではないだろうか。

彼は研究テーマを選ぶにあたって、もっとも重要なビッグ・クエスチョンは何だろうかと、つねに考えていたように見える。いっそう彼らしいのは、人間がいつの時代も問いつづけてきた根源的な問いや、社会が直面するもっとも差し迫った問題、人類の未来を左右するであろう重要な課題など、研究に直接的には結びつかないビッグ・クエスチョンにも引き寄せられ、それを考えるところからエネルギーを引き出していたように見えることだ。

ホーキングはそれらさまざまなビッグ・クエスチョンに対する自分の答えを、世界に向かって発信した。意見を求められれば、あとあと「間違いだったじゃないか」と批判されることを恐れず、いまの自分に言えることを勇敢に述べた。本書は、そんなビッグ・クエスチョンに対するホーキングの答えを集めたものである。

本書に取り上げられたビッグ・クエスチョンは、おおまかに言って、彼の研究に深く根ざしたものから、人類の未来にかかわるものへと進むように配列されている。このように言うと、第一章のタイトルが「神は存在するのか?」であることを不思議に思う読者もいるかもしれない。とくに日本では宗教への関心が薄い傾向があるため、「いきなり宗教の話?」と、拍子抜けしてしまう人もいるのではないだろうか。

だが、ホーキングの専門である宇宙物理学は、ダーウィンの進化論と並んで、宗教と科学とが切り結ぶ前線なのだ。そのため、第一章と、第二章「宇宙はどのように始まったのか?」には、科学とは何か、科学者はいかにあるべきかという問題に対する彼の考えが、明確に、そして力強く述べられている。これらふたつの章には、冒頭に置かれるにふさわしい内容がある。読者のみなさんには、そこで彼が語っていることをしっかりと受け止めていただけたらと思う。

科学者としてのホーキングは、とくにブラックホールの研究で知られている。なぜ、ブラックホールだったのだろうか? それはおそらくブラックホールが、彼の専門分野にとって最大のビッグ・クエスチョンを攻略するための重要な鍵になると考えたからだろう。ホーキングは、宇宙という大きなスケールを支配する一般相対性理論と、ミクロなスケールを支配する量子力学を統一し、「すべてを説明する理論(Theory of Everything)」を作ることを、究極の目標と位置づけていたのではないだろうか(ちなみに、本書に序文を寄せたエディ・レッドメインは、映画「博士と彼女のセオリー」でホーキングをみごとに演じてアカデミー主演男優賞を受賞したが、この映画の原題は *Theory of Everything* だ)。

ブラックホールは、自らの重さのために密度無限大の点にまで潰れた天体で、宇宙のスケールとミクロのスケールを併せ持っている。そのため本来ならば、究極理論でなければブラックホールは取り扱えないはずだ。しかし残念ながら、そんな理論はまだ得られていない。そこでホーキングは、まず古典理論である一般相対性理論で何が言えるかをとことん調べたうえで、次のステップとして、量子効果を取り入れてみるというアプローチを取った。そうすることで彼は、ブラックホールの性質について驚くべき発見をすると同時に、究極理論を垣間見ようとしていたのではないだろうか。

第五章「ブラックホールの内部には何があるのか?」を読んでいくと、研究に邁進《まいしん》するホーキングの姿が浮かびあがってくる。ブラックホールの面積定理、エントロピー公式、情報パラドックス、そしてホーキング放射と、わくわくする話題が矢継ぎ早に語られる。

なかでもホーキング放射は、一九七〇年代という早い時期に一般相対性理論と量子論を結びつけることによって達成された、はじめての成果と言える仕事だ。また、ブラックホールの面積定理やエントロピーの式を嚆矢とする「ブラックホールの熱力学」は、いまや超弦理論におけるブレイクスルーもあって、ホットな分野に成長している。キップ・ソーンは巻末の解説のなかで、「ニュートンは答えを与え、ホーキングは問いを与えた」と述べているが、ホーキングの問いはまさしく、究極理論の探索に大きな波紋を広げていると言えよう。

ちなみに、キップ・ソーンは公私にわたるホーキングの長年の友人で、解説にも述べられているとおり、ホーキングとともに「ブラックホール研究の黄金時代」を創出したのと同時期に、アインシュタインが存在を予言した重力波の研究に乗り出した。そして、二〇一六年、レイナー・ワイス、バリー・バリッシュとともに、「レーザー干渉計型重力波検出器(LIGO)を用いた重力波観測への多大なる貢献」に対してノーベル物理学賞を受賞した。

ホーキングは科学上の問題だけでなく、イギリスの国家医療制度への支持、トランプやブレグジット批判など、社会が直面するさまざまな問題についても率直に意見を述べてきた。本書では、話題を呼んでいるホーキングの発言のうち、人類の未来にかかわるビッグ・クエスチョンとして、有人宇宙探査とほかの惑星への植民地建設、そしてＡＩ問題が取り上げられている。

ＡＩ問題については、「ＡＩが人間の知性を超えることはない」とする立場からホーキングの意見を批判する人も少なくない。けれどもホーキングは、原理的な議論をしているのである。コンピュータも人間も、この宇宙に含まれる同じ粒子を素材としており、ＡＩが人間を超えることを妨げる物理法則はないということが、彼の考えの基礎にある。そして、こうした原理的な考察には、そのときどきの状況判断とは別種の価値がある。

さらに言えば、どのビッグ・クエスチョンに対するホーキングの答えも、その基礎のところにはなんらかの原理的考察があり、それが彼の言葉に力を与え、意見を魅力的にしているように思われるのである。それぞれの章で、彼が大切にした原理はなんだったのだろうと、思いをめぐらしてみるのも楽しいのではないだろうか。

ホーキングの遺灰は、ウェストミンスター寺院の科学者コーナーと呼ばれる区域に、ニュートンやダーウィンをはじめとする英国科学の巨星たちと並んで納められた。同寺院のジョン・ホール首席司祭は、ホーキングが「世界一有名な無神論者」であることは、その決定に関係しなかったと述べた。大切なのは、科学への貢献だけでなく、巨大な困難を背負いながら人びとにはげましを与えた、その生き方なのだと。そしてホール司祭は、「並々ならぬことが成し遂げられるとき、そこには神の采配があると私は信じています」と巧みに付け加えた。

一方、ホーキングの長年の友人で、王室天文官〔ホーキングのルーカス教授職と同じく十七世紀に創設された名誉ある官職〕でもある宇宙物理学者マーティン・リースは、葬儀で述べた頌徳の辞のなかで、「ホーキングはダーウィンと同じく不可知論者でしたが、英雄たちの殿堂であるこの場に遺灰が納められるのは、じつにふさわしいことでしょう」と、場をわきまえつつ慎重な言葉で宗教を牽制した。自分の葬儀をめぐってくりひろげられた宗教と科学のこんな攻防を、ホーキングは、空の星たちにまじって楽しげに眺めているかもしれない。

葬儀には二万七千人の応募者のなかから千人が選ばれて参列した。そのなかには、障がいのある子どもたちや学生たちもいた。この人たちは、ホーキングの姿にはげまされ、自分が生きていくうえでのロールモデルを見出したという。ラテン語の格言に、*Ad astra per aspera.* がある。*astra* は「星々」*aspera* は「苦難」で、「苦難を越えて星々（栄光）へ」という意味になるのだが、私にはこの格言が、大きな苦難を背負いながら、いまや科学の巨星のひとつとなったホーキングのためにあるように思われてならない。そんな彼の姿は、これからも多くの人に勇気を与えつづけることだろう。

翻訳にあたっては、青木航氏（京都大学農学研究科助教）に校正刷りを読んでいただき、主に生物学に関係する部分で貴重な指摘と意見をいただいた。また、NHK出版の猪狩暢子、川上純子、加納展子の三氏には、温かいはげましと手厚い支援をいただいた。ここに記して心よりお礼を申し上げる。

二〇一九年二月

青木　薫

◎著者紹介
スティーヴン・ホーキング
Stephen Hawking (1942.1.8~2018.3.14)

イギリスのオックスフォード生まれ。オックスフォード大学、ケンブリッジ大学大学院で物理学と宇宙論を専攻。21歳のときに運動ニューロン疾患を発症。37歳でアイザック・ニュートンも就任した名誉あるルーカス教授職に選出され、30年にわたり同職を務めた。王立協会フェロー、全米科学アカデミー会員であったほか、2009年にはアメリカのオバマ大統領から大統領自由勲章を授与された。本書を執筆中の2018年3月に死去。著作に『ホーキング、宇宙を語る』(早川書房)、『ホーキング、未来を語る』(ソフトバンク クリエイティブ)、『ホーキング、宇宙と人間を語る』(エクスナレッジ)など。

◎訳者紹介
青木 薫(あおき・かおる)

1956年生まれ。京都大学理学部卒、同大学院修了。理学博士。翻訳家。訳書に『宇宙を織りなすもの―時間と空間の正体』ブライアン・グリーン(草思社)、『量子革命―アインシュタインとボーア、偉大なる頭脳の激突』マンジット・クマール、『フェルマーの最終定理』サイモン・シン(以上、新潮社)、『光速より速い光―アインシュタインに挑む若き科学者の物語』ジョアオ・マゲイジョ(NHK出版)など多数。2007年の日本数学会出版賞を受賞。著書に『宇宙はなぜこのような宇宙なのか―人間原理と宇宙論』(講談社)がある。

カバー写真:E+/Getty Images
帯写真:Ulrich Baumgarten via Getty Images
校正:酒井清一、大瀧佳子
組版:アーティザンカンパニー

ビッグ・クエスチョン
〈人類の難問〉に答えよう

2019年3月15日　第1刷発行

著　者　スティーヴン・ホーキング
訳　者　青木 薫
発行者　森永公紀
発行所　NHK出版
〒150-8081 東京都渋谷区宇田川町41-1
電話　0570-002-245（編集）
0570-000-321（注文）
ホームページ　http://www.nhk-book.co.jp
振替　00110-1-49701
印　刷　壮光舎印刷／大熊整美堂
製　本　ブックアート

乱丁・落丁本はお取り替えいたします。
定価はカバーに表示してあります。
本書の無断複写（コピー）は、著作権法上の例外を除き、
著作権侵害となります。

Japanese translation copyright © 2019 Kaoru Aoki
Printed in Japan
ISBN978-4-14-081773-5 C0098